총은 총을 부르고
꽃은 꽃을 부르고

사진 제공: 국가인권위원회

총은 총을 부르고
꽃은 꽃을 부르고

이다혜 이주현 지음 | 국가인권위원회 기획

열 편의 인권영화로 만나는
우리 안의 얼굴들

한겨레출판

총을 드는 세상이 아닌
꽃을 드는 세상으로

언젠가 지하철에서 두 사람 사이 작은 시비가 붙은 것을 보았다. 휠체어를 탄 중년의 여성이 지하철 일반 칸에 타려고 줄을 서자 중년의 남성이 장애인 전용석이 있는 칸에 타라고 목소리를 높였다. 여자는 본인이 지하철을 한두 번 타본 것이 아니라며 꿈쩍하지 않았다. 남자는 공격적으로 말했다. 사람들이 붐비기 시작하는 시간인데 왜 피해를 주려고 하느냐고. 급기야 남자는 당신 때문에 장애인들이 다 같이 욕먹는 거라는 비약까지 서슴지 않았다. 남자의 주장과 논리를 거칠게 요약하면 이랬다. '당신이 있어야 할 곳은 여기가 아니라 저기다.' 그에겐 장애인의 편의보다 비장애인의 편의가 중요했다. 휠체어를 탔다는 이유로 제한당해야 하는 자유는 눈에 보이지 않았던 것 같다.

큰 언쟁으로 번지지 않아서인지 이들을 말리는 사람은 없었다. 아니, 그 시간 지하철에는 사람이 많지 않았다. 듬성듬성 지하철 좌석에 앉은 사람들은 나처럼 이 불편한 상황을 가만히 인지하고는 조용히 각자의 할 일을 할 뿐이었다. 그런데 지하철 역사에서 빠져 나오고도 마음이 계속 불편했다. 비장애중심주의적 사고 회로를 당당히 발동하면서 언성을 높인 남자에 대한 못마땅함 때문이기도 했지만, 고백하자면 그 순간 '장애인 전용 칸에 탑승하는 게 여자에게도 편한 일이 아니었을까'라고 생각했던 나 자신에 대한 부끄러움이 뒤늦게 밀려온 탓이 컸다. 내 안의 차별과 배제의 사고를 더 단속할 필요를 느낀 그날, 스스로가 조금 못마땅했다.

우리 안의 선한 본성을 믿는다. 우리 안의 선한 천사를 늘 응원한다. 그럼에도 인권 감수성이라는 건 저절로 길러지지 않는다. 판단력과 논리력을 기르는 것처럼 폭력과 차별과 통제와 억압에 예민하게 반응할 수 있는 인권 감수성도 기를 필요가 있다. 오랜 시간 영화기자로 일한 탓에, 어쩔 수 없이 나는 영화를 통해 세상을 배웠다. 로맨스영화로 연애를 배우고, 코미디영화로 개그를 배우고, 액션영화로 액션을 배워 망했다는 슬픈 전설은 건너뛰고, 영화를 통해 예민하게 감수성을 기를 수 있었던 것만은 확실하다. 영화를 통해 우리의 마음과 마음, 세계와 세계가 연결되어 있다는 것을 느낄 때마다 매번 조금씩 살아갈 힘을 얻었던 것 같다. 영화는 알지 못했던 것을 알게 하고, 의심하지 않았던 것을 의심하게 하고, 질문하지 않았던 것을 질문하게 하고, 꿈꿔보지 못한 것을 꿈꾸게 한다.

국가인권위원회는 2002년부터 인권영화를 제작해오고 있다. 임순례, 정재은, 여균동, 박진표, 박광수, 박찬욱 감독이 참여한 〈여섯 개의 시선〉을 시작으로 20년이 훌쩍 넘는 시간 동안 다양한 인권 이슈를 다룬 인권영화들을 세상에 내놓았다. 국가인권위원회가 2002년부터 2012년까지 제작한 인권영화 10편에 대한 이야기는 《별별차별》(2012, 씨네21북스)에 담겨 있다. 《총은 총을 부르고 꽃은 꽃을 부르고》는 2013년부터 다시 10년 동안 만들어 온 열 편의 영화와 인권 이야기다. 이 책은 그러니까 '영화로 만나는 인권'의 시즌 2인 셈이다. 박정범 감독의 〈두한에게〉, 신아가 이상철 감독의 〈봉구는 배달 중〉, 민용근 감독의 〈얼음강〉, 오멸 감독의 〈하늘의 황금마차〉, 정지우 감독의 〈4등〉, 최익환 감독의 〈우리에겐 떡볶이를 먹을 권리가 있다〉, 신연식 감독의 〈과대망상자(들)〉, 이광국 감독의 〈소주와 아이스크림〉, 이옥섭 감독의 〈메기〉와 남궁선 감독의 〈힘을 낼 시간〉까지, 이 열 편의 영화에는 지난 10년간 한국 사회의 풍경이 고스란히 담겨 있다. 존엄한 죽음과 고독사, 노인 인권, 청년 인권, 학생 인권 등 여전히 이 사회가 해결하지 못한 숙제들을 떠안은 채 살아가는 영화 속 인물들이 곤란한 표정을 한 채 우리를 바라보고 있다. 영화는 시대의 공기를 담는다. 시대의 공기를 머금은 그 표정은 지금의 우리의 표정과 크게 다르지 않다. 시간이 지나도 변하지 않은 것이 있고 시간이 흘러 변한 것도 있다. 다행이기도 하고 쓸쓸하기도 하다.

　　책 제목은 양심에 따른 병역거부 이야기를 담은 민용근 감독의 책《그들의 손에 총 대신 꽃을》에서 영감을 얻어 지었다. 양심에 따른 병역거부자들의 이야기는 평화에 대한 염원의 이야기로 귀결된다. 그렇다면 이런 상상을 해보는 것은 어떨까. 총을 들지 않겠다는 사람들에게 총을 쥐어줄 것이 아니라 꽃을 쥐어주면 어떨까. 그들의 손엔 피가 아니라 꽃향기가 배겠지. 그러면 우리는 화약 냄새가 아닌 꽃향기를 맡으며 살수 있겠지. 그러면 전쟁도 사라지겠지. 이런 상상만으로도 가슴 한구석이 따뜻해진다면 우리는 그 길로 가야 한다. 총을 드는 세상이 아닌 꽃을 드는 세상으로.

세상이 이렇게 흉흉한데, 허무맹랑한 상상은 도움이 되지 않는다고 할 수도 있을 것이다. 하지만 세상을 바꾸는 건 뻔한 생각이 아닌 다른 생각이다. 엉뚱한 상상이다. 다르게 보고 다르게 느끼고 다르게 상상하는 건 중요하다. 영화는 그걸 가능하게 해준다. 가끔은 서로 다른 조건과 서로 다른 신념과 서로 다른 욕망을 가진 사람들이 함께 살아간다는 것 자체가 기적처럼 느껴진다. 인권을 생각한다는 건 이 험한 세상다 함께 아름답게 살아갈 방법을 고민하는 일이 아닌가 싶다. 이 책에 담긴 열 편의 인권영화를 통해 더 따스한 세상을 상상하고 희망할 수 있기를 바란다.

이주현

차례

〈메기〉
(Maggie, 2018, 88분, 15세 이상 관람가)
감독: 이옥섭
장르: 미스터리/코미디

1장

우리가
구덩이에 빠졌을 때
해야 할 일

"청년을 위한
해피엔딩은
어디 있을까"

이옥섭 감독 주요 필모그래피

〈러브빌런〉(2022) 〈사람 냄새 이효리〉(2022) 〈영화감독
구교환 브이로그〉(2021) 〈메기〉(2018) 〈세 마리〉(2018)
〈걸스온탑〉(2017) 〈플라이 투 더 스카이〉(2015) 〈연애다
큐〉(2015) 〈오늘 영화〉(2014) 〈4학년 보경이〉(2014) 〈방과
후 티타임〉(2014)

청년에 대한 이야기를
한 편의 영화로 만들 수 있을까?

청년에 대한 이야기를 한 편의 영화로 만들 수 있을까? 그러면 청년이라는 단어가 한결 어렵게 느껴질 것이다. 청년은 한 사람으로 대표될 수 없고, 청년이 겪는 수많은 결의 어려움은 각기 백 편씩의 영화로도 다 말해지기 어렵기 때문이다. 세상의 모든 인권 이야기가 그러하듯이 말이다. 이옥섭 감독은 그리하여 여자와 남자를 한 명씩 이야기에 세웠다. 이들이 청년을 대표해서가 아니라, 이들의 개별적 삶의 풍경들이 대한민국의 현실을 보여주기 때문이다. '아프니까 청춘'이라는 문구가 베스트셀러의 제목이 되는 대한민국에서, 아픈 줄도 모르고 아프게 살아가는 청춘 말이다.

대한민국에서 청춘에 대한 담론은 언론에 의해 대상화되며 발생한다. 'MZ세대'라고 통칭되는 세대 구분이 대표적이다. 밀레니얼 세대는 X세대와 Z세대 사이의 인구통계학적 집단이다. 일반적으로 1980년부터 2010년까지 출생한 사람으로 정의한다. '10년이면 강산도 변한다'는데 무려 30년을 한 세대로 묶는 일이 가능한가? 30년이면 부모-자식 세대가 하나의 세대로 묶일 수도 있다는 뜻이니 말이다. 그럼에도 불구하고, MZ세대를 타깃으로 하는 각종 마케팅을 필두로, '요즘 젊은 것들'을 타박하는 온갖 세태 한탄 기사가 여기저기에 올라온다. 그렇다면 그렇게 뭉뚱그려지는 세대 내부의 시각에서 '우리'를 이야기한다면 어떤 영화가 가능할까. 그 질문에 대한 답으로 〈메기〉를 말할 수 있다.

사랑스러움을 이유로 무르지 않고,
매섭다는 이유로 상처주지 않는

이옥섭 감독의 2018년 작 〈메기〉는 사랑스러운 동시에 매서운 영화다. 사랑스러움을 이유로 무르지 않고, 매섭다는 이유로 상처주지 않는다. 그 미묘한 줄타기를 가능케 하는 것은 이옥섭 감독의 스타일이다. 여기에는 병원이 등장하고 공사판이 무대가 되며 그 복판에는 윤영(이주영)과 윤영의 남자친구인 성원(구교환)이 서 있다. 〈메기〉는 보는 관점에 따라 믿음과 의심에 대한 이야기일 수도, 불법촬영을 고발하는 서사일 수도, 데이트 폭력을 논하는 영화일 수도 있다. 청년이 경험하는 여러 사건의 복잡다단함이 〈메기〉에서는 자연스럽게 중첩된다. 오전에는 의심받는 사람일 수 있고 오후에는 의심하는 사람일 수 있다.

이옥섭 감독은 국가인권위원회에서 영화 제안을 받으면서 키워드도 함께 받았다. '청년의 인권과 삶'이 그것이다.[1] 이 키워드를 어떻게 풀어갈까 고민이었지만, 엉뚱한 상상이 돋보였던 단편들의 연장에서 작품을 풀어가도 되겠다고 생각하고는 독창적 세계관을 유지하면서 청년들이 공감할 수 있는 요소들을 더해 〈메기〉를 완성했다.

---

[1]   〈방구석 1열〉 2019년 11월 24일 방영분

〈메기〉의 첫 번째 사건은 마리아 사랑병원의 엑스레이실에서 시작된다. 엑스레이실에서 섹스하는 두 사람을 누군가가 엑스레이로 촬영한 것이다. 그 두 사람이 누구냐고 당신이 묻고 싶다면, 이미 〈메기〉의 첫 번째 의도는 적중한 셈이다. 성행위가 찍힌 엑스레이의 존재가 알려지자 병원 사람들은 온갖 추측을 일삼는다. "병원 사람들의 탐정놀이가 시작되었습니다. 누가 이 사진의 주인공인지. 엑스레이 버튼을 눌러 남의 사생활을 찍은 자에겐 관심도 없죠. 찍힌 게 누구인가. 그것에만, 그것에만 관심을 보였어요. 간호사는 그것이 여윤영의 것이라고 생각했습니다."

간호사 여윤영은 문제의 엑스레이 사진이 자신의 것이라고 생각한다. 병원에서 엑스레이를 가져와 남자친구인 성원이 살펴보게 한다. 성원은 "내 거 맞는 거 같애"라고, "우리 게 맞는 거 같애"라고 한다. 이때 작은 내레이션이 불쑥 끼어든다. "그건 너희 게 아니야." 영화 제목이기도 한 '메기'의 목소리다. 메기가 어떻게 말을 하냐고? 온갖 엉뚱한 일이 발생할 수 있는 곳이 이옥섭 감독의 세계다. 판타지적인 느낌을 적극 끌어들이는 이 영화는, 그렇기 때문에 묵직한 현실

총은 총을 부르고 꽃은 꽃을 부르고

을 사뿐하게 이야기 속에 부려놓는다. 예를 들어, 윤영과 성원이 자전거를 타고 지나는 동네는 서울의 수색역 근처다. 그런데 공사장으로 보이는 곳에서 사람들이 피크닉을 하고 있다. 성원의 설명은 이렇다. "재개발 반대 시위래." 절박한 요구를 할 때조차 절박해 보이고 싶지 않은, 절박해 보일수록 목소리가 무시당하는 우리 사회의 일면이 짧게 스쳐간다. 시위도 경쾌하게. 그런 속에서 엑스레이의 존재에 대해 근심하는 윤영이 설 자리는 없어 보인다. 아무래도 병원을 그만두어야겠다고 마음먹는다.

　　성원은 윤영을 대신해 봉투에 '사직서'라고 쓴다. 획이 많은 한자다. "사직서는 쓰지 말라고 이렇게 획이 많은가 봐." 하지만 윤영은 병원을 관두려던 게 아니었다. 의심하고, 힘들어하는 상황을 그만두자고 말했을 뿐이었다. "무슨 말인지 알지?" 성원은 대꾸한다. "음… 무슨 말이지?" 방 안에 둘만 있어도 말이 통하지 않는다. 같은 상황에서도 둘이 느끼는 바가 다르다. 하지만 윤영은 봉투에 한글로 쓴 '사직서'를 선택한다. 연인 간에 소통이 잘 되는 것일까 소통이 되지 않는 것일까. 유머러스하게 상황을 그려 보이는 매 순간이 미묘하게 마음에 턱을 만든다. 뭔가가 걸리는데, 그게 정말 중요한 것이라 신경 써야 하는 건지 아닌 건지를 알 수가 없다. 그래도 관계가 우선이니까 그런 걸로 치고 넘어간다.

사직서를 들고 출근한 윤영은 병원 부원장 경진 (문소리)과 면담을 갖는다. 윤영이 엑스레이 사진을 들고 가는 걸 본 사람이 있다고 말하며, 경진은 윤영에게 사직을 권한다. 나갈 때는 뒷문으로 나가라는 상냥한 경진의 권유를 받고 나서야, 윤영은 "저는 병원 안 나갈 거예요"라고 결정한다. 이튿날, 출근 시간이 한참 지났는데 사람들이 출근을 하지 않는다. 윤영은 혼자 병원의 이곳저곳을 기웃거린다. (그렇다, 또 한 번의 판타지적 전개다.) 어쩌면 다들 병원 엑스레이실에서 섹스한 경험이 있을지도 모르겠다. 부원장 경진은 한 명이 엑스레이실에서 섹스했다고 생각했을 때는 그 사람을 내보내려고 했지만, 모든 직원이 그 문제로 출근을 하지 않는 듯하자 그런 것은 별 일이 아니라고 말한다. "신념은 쉽게 바뀌는 거예요."

세상은 언제나 다수를 위해서 신념을 바꾼다

인권에 대한 논의에서 소수자를 중심에 두어야
하는 이유가 이런 것이리라. 세상은 언제나 다수를 위
해서 신념을 쉽게 바꾸곤 한다. 그때는 옳았지만 지금
은 틀린 것이 된다. 그 반대도 마찬가지다. 우습게도,
경진 역시 그런 일을 경험한 적이 있었다. 세상의 오
해로 억울한 일을 당한 어린 시절의 기억이. 그리고
그 경험으로부터 얻은 교훈은? "아무리 발버둥 쳐도
소용없다? 내가 개를 고양이라 우겨도 믿을 사람은
믿고 떠들 사람은 떠든다." 그렇기 때문에 다수에 속
하기 위해 발버둥 쳐야 하는 세상. 내가 이해받지 못
했기 때문에 타인을 이해하려 노력하지 않겠다고 다
짐하는 세상. 어쨌거나 병원은 다음 날이 되자 일상
으로 돌아오고, 윤영은 병실에 있는 메기를 찾아간다.
〈메기〉에서 내레이션을 맡은 역할은 바로 메기다. 메
기의 목소리를 관객은 들을 수 있지만 윤영은 듣지 못
한다. "윤영 씨, 사실이 존재하는 곳은 아무데도 없대
요. 사실은 언제나 사실과 연관된 사람들에 의해서 만
들어지고 편집된다고 아빠가 그랬어요."

믿음과 의심의 이야기는 병원 바깥에서도 펼쳐진다. 계기는 대한민국에 일어난 지각변동이다. 큰 지진은 아니고, 대한민국 곳곳에 봉고차 세 대만한 싱크홀들이 생겨났다. 싱크홀이 생겨서 신난 사람이 있다. 그동안 집에서 지내던 성원에게 일자리가 생겼기 때문이다. 전국에 싱크홀이 생기자 싱크홀을 메우는 청년 인력들이 파견되었다. 정부의 골칫거리가, 청년의 희망이 되었다. 희망이라는 거창한 말을 써도 될까. 이 일자리는 한시적이며, 재난으로 인한 것일 뿐이다. 하지만 이런 사건이 아니라면 희망을 닮은 그 무엇도 구경하기가 힘들다. 성원과 같이 일하는 청년 한 사람은 대단한 깨달음을 얻었다. "이렇게 자연스럽게 일자리가 나올 줄 알았으면 고등학교 때 공부도 그렇게 안 했지." 같이 일하는 다른 청년은 토익 학원에 등록했다. 지금은 일하고 있지만 어떻게 될지 알 수가 없기 때문이다. 그런데 이곳에서, 성원은 반지를 잃어버린다. "그거 은 아니라 백금인데." 더 큰 문제는 그 반지를 준 사람이 윤영이라는 사실이다. 성원은 반지를 간절히 찾아 나서지만 어디에서도 찾을 수가 없다. 그리고 성원은 같이 일하는 청년을 의심한다. 그의 발가락에 끼워진 반지가 자기가 잃어버린 바로 그 반지 같아 보여서다. 의심은 의심으로 이어지고, 생산적인 결론으로 이어지지 못한다. 의심하기 시작한 이상, 다른 결론은 불가능하다.

　　부산국제영화제에서 첫 선을 보인 〈메기〉는 해외 영화제에서 여러 차례 선을 보이며 이런 질문을 만났다. "너희는 왜 박찬욱이나 봉준호, 홍상수 감독과 달라?" 단편 〈4학년 보경이〉(2014), 〈플라이 투 더 스카이〉(2015), 〈걸스 온 탑〉(2017) 등을 통해 이름을 알린 이옥섭 감독의 독특한 영화세계가 해외에서도 영화 팬의 눈길을 끈 것이다. 현실을 이야기하는 진지함은 그대로인데 이야기하는 방식은 엉뚱하고 발랄하다. 밀란 쿤데라가 《참을 수 없는 존재의 가벼움》에서 한 "슬픔은 형식이었고, 행복이 내용이었다"라는 말을 비틀어보면, "유머는 형식이었고, 분노가 내용이었다" 정도로 말할 수 있는 영화가 〈메기〉다. 형식이 분노가 아닐지언정, 윤영은 그 누구보다 분노할 줄 아는 사람이다. 얼렁뚱땅 넘어가는 법이 없다. 영화의 엔딩 장면이 주는 놀라움이 그 분노의 연장선에서 이야기될 수 있겠다. 엔딩 이야기를 하기 전에 이옥섭 감독,

배우 이주영·구교환·문소리가 〈씨네21〉과 진행한 대
담을 들어보자.

이옥섭 감독이 말하는 〈메기〉

　이옥섭 감독이 말하는 영화의 시작점은 이랬다.
"〈메기〉는 늦은 밤, 병원에서 어항을 걱정스러운 표정
으로 바라보는 여자의 이미지로부터 시작됐다. 그에
겐 어떤 걱정이 있을까, 지금 문제되고 있고 나도 느
끼고 있는 것을 불안해하는 게 아닐까. 당시의 난 화
장실에 가면서도, 관계를 맺으면서도 카메라에 찍힐
수 있다는 불안을 안고 있었다. 그것이 〈메기〉의 윤영
에게도 스며들어갔다. 그런데 불법촬영 이슈를 직접
적으로 표현하면, 실제 피해를 입은 분들의 고통을 건

총은 총을 부르고 꽃은 꽃을 부르고

드릴 것 같았다. 그래서 엑스레이라는 장치로 거리를 두고 풀어낸 거다. 그리고 지금도 세상에는 애인에게 맞거나 죽임을 당하는 여자들이 많지 않나. 윤영이 성원에게 품는 의심과 불안감 역시 여기에서 시작됐다." 〈메기〉에서 섹스 과정이 엑스레이로 촬영되고, 그 사진이 노출된다는, 일반적인 불법촬영 사건과는 거리가 먼 설정은 여기에서 시작한다. 인권에 대해 이야기하려는 사람은 인권을 먼저 생각해야 한다는 당연한 각오. 그것은 불법촬영이 '나'의 이야기라는 생각에서 출발했기 때문에 가능했다. "불법촬영 문제와 관련된 기사가 나올 때마다 내가 찍혔을지 모른다는 공포가 있었다. 친구들과 얘기를 나누면서 나만 그렇게 생각하는 것이 아니라는 사실을 알게 됐다. 화장실에 갈 때 습관적으로 모자를 쓰는 것도 카메라가 있을지 모른다는 불안감에서 나온 행동이다."

실제로는 불법촬영범 10명 중 4명이 '아는 사람'이라고 한다. 그중 연인이 절반을 넘는다.[2] 2023년 9월 25일 이성만 무소속 의원이 경찰청으로부터 받

---

2   〈한겨레〉 2023년 9월 25일 자

은 '카메라 등 이용 촬영범죄 피의자 검거 현황'에 따르면, 2023년 1~8월 검거된 불법촬영 사범 3,772명 중 면식범 비율은 44%(1,661명)였다. 불법촬영 범죄는 갈수록 심각해지고 있지만, 검거율은 되레 떨어졌다. 2020년만 해도 94%를 기록할 만큼 검거율이 높았으나, 2021년 85.9% → 2022년 83%로 계속 감소하고 있다. 2023년 역시 83.8%에 그쳤다. 〈메기〉에서처럼, 불법촬영으로 인한 피해자들이 자살에까지 이르는 고통을 겪는 반면, 가해자들을 밝혀내는 데는 그만큼 소홀하다는 뜻으로도 볼 수 있을 것이다. 〈메기〉를 계기로 살펴야 할 통계는 불법촬영만이 아니다. 2023년 1분기 청년실업률은 6.7%로 '역대 최저'를 기록했다.[3] 역대 정권마다 해결하기 어려워했던 청년실업 문제가 해결되었다는 뜻일까. 그렇지 않다. 청년들의 일자리가 내수 경기와 직결된 음식점·숙박업에 몰리며 고용 안정성이 낮아지고 있어서다. 〈메기〉에서 싱크홀을 메우는 일을 맡은 이들이 청년들이었던 것을 떠올려보라. 일자리가 있다. 하지만 안정성이 낮

---

[3]   〈한겨레〉 2023년 5월 3일 자

다. 간호사로 일하는 윤영의 상황 역시 안정적이라고 말하기에는 어려움이 있다. 엑스레이 유출 사건 때 윤영은 자신이 피해자일지도 모른다고 생각했지만, 그런 상황에서 병원 측의 보호를 받거나 사진을 유출한 범인을 찾는 식의 대응을 겪는 대신, 피해자라고 부원장에게 낙인찍히고 퇴사를 권유받았다. 상황을 제대로 파악하려는 병원 측의 대응은 보이지 않았다. 이 모든 일에 개인이 일방적으로 대처해야 하는 상황에서, 윤영은 재치로 돌파해버린다. 준비했던 사직서를 다시 집어넣고, 다음 날도 출근하겠다고 부원장에게 말해버리는 식으로. 그 후 별일 없이 상황이 진행되는 것이 영화 속 전개이지만, 실제 상황이었다면 어땠을까. 〈메기〉가 유머러스하게 흘려 넘기는 상황은 사실 아찔하게 느껴지기도 한다.

이때 내레이션을 맡은 메기의 존재도 중요하다. 메기는 등장인물들을 거리를 두고 바라보는 무언가가 있었으면 좋겠다고 생각한 이옥섭 감독이 위로와 질문을 던지는 존재가 있었으면 하는 바람으로 설정한 장치다. 메기는 관객 입장에서 안타까워하기도, 추임새를 넣으며 분위기를 환기하기도 한다. 전지전능한 화자처럼 느껴지기도 한다. 메기 덕분에 이야기는 '바깥'의 관점을 획득하고 내부 인물들의 상황을 환기시킨다. 이옥섭 감독의 〈걸스 온 탑〉에 출연한 천우희 배우가 메기 목소리를 맡아 연기했다.

우리가 구덩이에 빠졌을 때
해야 할 일은

〈메기〉 속 청년들의 상황은 영화 초반부에 포스트잇에 적힌 문구로 의미심장하게 제시된다. "우리가 구덩이에 빠졌을 때, 우리가 해야 할 일은 구덩이를 더 파는 것이 아니라 그곳에서 얼른 빠져 나오는 일이다." 이옥섭 감독은 시나리오 작업을 하던 당시에 〈채널예스〉 4월호 커버스토리에 실린 류시화 시인의 인터뷰를 읽었다. 그 인터뷰에서 류시화 시인이 〈영혼의 돌봄〉에서 한 구절을 인용한 것을 읽고 영화에 다시 인용했다. "평소에 갑자기 어떤 생각이 시작되어서 그 생각이 꼬리의 꼬리를 물고 깊게 생각에 빠져서 기분까지 축 가라앉는 순간들이 많았다. 다 망한 것 같고, 사는 게 재미없고, 모든 관계들이 다 부질없다고 생각되고 그렇게 나 스스로 구덩이에 밀어 넣을 때마다 그 문장을 되뇌며 빠져나왔던 것 같다. 지금도 안 좋은 생각들이 나를 덮으려고 할 때 그 문장을 생각하곤 하는데, 여윤영이라는 인물에게도 앞으로 닥칠 어떠한 사건들에 앞서 더 단단하게 만들어 줄 수 있도록 도와줄 메시지라고 생각했다."

이제 이야기의 끝으로 갈 차례다. 불법촬영 문제에 있어 윤영과 한 편에 서서 고민하던 성원의 문제가 불거진다. 성원이 반지를 잃어버린 사건은 이후에 올 사건의 전조가 된다. 윤영은 성원의 전 여자친구인 지연을 만난다. 지연은 엉뚱한 소리를 하며 시간을 끌다가 입을 연다.

"여기까지 오신 것도 어느 정도는 알고 싶어서 오신 거라고 생각해요." 길게 한숨이 이어진다. 사실 윤영은 성원과 사귀는 동안 성원에게 맞았다. 그 사실을 알게 된 윤영과 (윤영이 아는 줄 모르는) 성원 사이에는 틈이 생겨난다. 동네 재개발이 결정되며 윤영은 갑작스럽게 이사를 해야 하는 상황에 놓이고, 지연 때문에 의심이 생겨나기 시작한 윤영은 성원에게 결별을 선언한다.

　마지막 장면에서, 윤영과 성원은 잠시 만나 이
야기를 나눈다. 성원은 윤영이 뭔가를 부풀려 생각하
고 있다고 생각한다. 윤영은 그런 그의 말을 듣고 훗,
웃고는 묻는다. "여자 때린 적 있어?" 성원의 답은 여
상하다. "어. 전 여친 때린 적 있어." 바람소리가 들리
고, 윤영이 가져온 수조 속 메기가 펄쩍 뛰어오르고,
성원이 서 있던 자리에 거대한 싱크홀이 생긴다. 성원
은 싱크홀 아래로 떨어진다. 마치 천벌이라도 내린 듯
이. 이 싱크홀은 무슨 의미일까? 싱크홀은 어쩌면 현
실인지도 모른다. 영화 속에서는 싱크홀이 서울 시내
곳곳에 생겨나고 있었으니까. 싱크홀은 어쩌면 환상
인지도 모른다. 윤영은 이 상황을 어떻게 돌파해야 할
지 전혀 알지 못하는 얼굴을 하고 있었으므로, 처치하
기 애매한 캐릭터를 화면 바깥으로 밀어 지워버리듯

　　　　　　　　총은 총을 부르고 꽃은 꽃을 부르고

이 성원을 일단 의식적으로 지워버렸음을 시각적으로 표현한 결과일지도 모른다. "우리는 지금 외부로부터 너무 많은 불안을 느낀다. 그것은 금세 우리의 내부로 들어와 균열을 만든다. 그 균열은 너무나도 조용해 나도 모르는 새에 되돌릴 수 없을 정도로 벌어져 버린다. 이 과정을 자세히 들여다보고 싶었다. 그것을 표현하는 인물이 윤영이었던 것이고, 외부로부터 생긴 불안이 윤영을 믿음과 불신 사이를 오가게 만들었고, 결국엔 진실을 알게 되는 것을 그리고 싶었다."(이옥섭) 진실을 알게 된다고 해서 해피엔딩이 찾아오지는 않는다.

청년을 위한 해피엔딩

그러면 청년을 위한 해피엔딩은 어디 있을까. 이 독특한 이야기를 만들어낸 크루의 협업에 있을지도 모른다. 어떤 사건의 피해자나 가해자로 호명되는 대신 스토리텔링 하는 창작자로 자리매김할 수 있다면, 아니, 희로애락의 사건들을 자신의 언어로 재정의할 수 있다면, 그때 비로소 청년의 삶은 온전히 그들의 것이 될 것이다. 윤영을 연기한 이주영 배우의 말은 '협업' 속에서 성장하는 〈메기〉 크루의 힘을 보여준다. "〈메기〉를 다시 보면서 문득 이런 생각이 들었다. 우린 믿거나 믿지 못하는 게 아니라, 믿기로 선택하거나 믿지 않기로 선택하는 게 아닐까. 나도 어느 순간 〈메기〉라는 작품을, 함께 영화를 만드는 사람들을 믿기로 선택을 한 것 같다. 예전엔 내가 뭔가를 다 해내야 한다는 생각에 많이 힘들었는데, 이젠 영화라는 작업이 많은 사람들의 힘으로 완성된다는 것을 조금씩 알아가고 있다. 내가 못하는 부분을 누군가가 충분히 채워줄 수 있다는 것을 믿게 됐다."

이다혜

〈우리에겐 떡볶이를 먹을 권리가 있다〉
(Topokki girls, 2015, 23분, 12세 이상 관람가)
감독: 최익환
장르: 드라마

2장

어쩌다 학교는
이토록
살벌한 공간이 되었을까

"혁명을 하기에
좋은 타이밍이라는 게
있다면
그건 지금 당장이다"

최익환 감독 주요 필모그래피

〈나를 죽여줘〉(2020) 〈룸〉(2018) 〈시선 사이〉 중 〈우리에
겐 떡볶이를 먹을 권리가 있다〉(2015) 〈마마〉(2011) 〈황금
시대(옴니버스)〉(2009) 〈유언 Live〉(2009) 〈그녀는 예뻤다〉
(2008) 〈여고괴담4 - 목소리〉(2005) 〈트루 메모리〉(2002)
〈나는 왜 권투심판이 되려 하는가?〉(2000)

"떡볶이는 저한테 목숨이에요"

떡볶이. 떡볶이를 생각하며 글을 쓴다. 정확히는 떡볶이라는 단어가 제목에 들어간 영화를 생각하며 글을 쓴다. 뇌에서 보내온 신호가 감지된다. 지금 이 순간 떡볶이를 먹으면 행복할 거야. 당장 떡볶이를 먹지 않고 뭐하고 있어. 단순한 허기의 신호가 아니다. 떡볶이는 언제나 '내 영혼을 위한 닭고기 스프' 같은 음식이 아니었던가. 한국인의 대표적인 소울푸드 떡볶이의 유혹을 물리치는 건 쉬운 일이 아니다. 떡볶이에 대한 추억과 향수, 더불어 간절한 식욕까지 불러일으키는 최익환 감독의 단편영화 〈우리에겐 떡볶이를 먹을 권리가 있다〉 속 주인공 지수에게도 떡볶이는 더없이 소중한 음식이다. "떡볶이는 저한테 목숨이에요." 선생님을 향해 외치는 지수의 외마디는 진심이다. 국가인권위원회 인권영화 프로젝트 〈시선 사이〉(2016)에 포함된 단편 〈우리에겐 떡볶이를 먹을 권리가 있다〉는 떡볶이 없는 삶은 상상조차 할 수 없는 고등학생 지수가 어느 날 떡볶이를 먹을 수 없게 되면서 벌어지는 일을 그린 영화다. '떡볶이가 대체 뭐라고!'

떡볶이에 심드렁한 이들은 이런 반응을 보일지도 모르겠다. 요즘 십대들에겐 마라탕과 탕후루가 인기라니 떡볶이의 자리에 마라탕과 탕후루를 넣어보면 어떨까. 혹은 라면과 김밥, 혹은 삼겹살과 된장찌개도 무방하다. 핵심은 '떡볶이는 사랑'이라는 것이니까.

숭실대학교 영화예술전공 교수이기도 한 최익환 감독은 본인에게 친숙한 공간인 '학교'를 통해 "모두가 평평한 땅 위에 서 있는지 질문을 던져보자"는 마음으로 떡볶이를 경유해 학생 인권을 영화로 이야기한다. "어느 날 떡볶이를 먹기 위해 교문을 넘었다는 누군가의 사연을 라디오에서 접한 기억이 떠올랐다. 학교와 떡볶이는 잘 연결이 되지 않아 오히려 재

있을 것 같았다." 그렇게 떡볶이를 사랑하는 고등학생을 주인공으로 하는, 판타지가 가미된 발랄한 학원물이 만들어졌다. 지수, 민영, 현서 세 명의 여고생은 라면을 끓이면서도 떡볶이를 생각하는 친구들이다. 교문 앞 떡볶이 가게는 이들이 매일 출석체크를 하는 공간. 하지만 어느 날 학교에서 "학생 안전사고 예방과 조용한 면학 분위기 조성을 위해" 등하교 시를 제외하고는 학생들의 교문 출입을 금하기로 한다. 그 어떤 사유로도 외출이 금지된 상황. 지수는 더 이상 쉬는 시간에 떡볶이 가게에 갈 수가 없다. 지수는 아침 조례시간에 공지사항을 전달하는 선생님에게 말한다. "쌤! 그게 도대체 우리를 위한 겁니까, 학교를 위한 겁니까?" 떡볶이 금단 현상을 겪게 된 지수는 점점 이상행동을 보인다. 지수의 최후 선택은 교문을 넘어 떡볶이 가게로 돌진하는 것. 교문을 향해 전력 질주하는 지수와 그걸 말리는 선생님과 학생들이 운동장에서 뒤엉킨다. 떡볶이를 쟁취하기 위한 투쟁의 뜀박질. 우리 안의 괴력 혹은 초능력이 발휘되는 순간이다. 영화는 결국 세 친구들이 대접에 가득 담긴 떡볶이를 맘껏 퍼먹는 모습을 보여주며 끝이 난다.

과거와 미래가 아닌 '현재'가 중요하다
〈우리에겐 떡볶이를 먹을 권리가 있다〉

"누군가에겐 '고작' 떡볶이일 수 있지만 지수에게는 떡볶이가 '전부'다. 떡볶이는 떡볶이일 수도 있고 연예인일 수도 있고 다른 무언가일 수도 있다. (떡볶이가) 여고생의 세계를 구성하는 무언가라는 게 중요하다." 최익환 감독이 얘기하듯 떡볶이는 지수와 친구들의 세계를 건강하게 지탱해주는 무엇이다. 지수는 떡볶이를 배불리 먹고 행복해한다. 그 행복은 감히 "가격을 매길 수 없어 팔 수 없"을 정도의 감정이다. 이것이 사랑이 아니면 무엇일까. 지수와 친구들은 지금 당장 맘껏 사랑하고 맘껏 행복을 누리고 싶어 한다. 최익환 감독은 "과거와 미래가 아닌 현재, '지금 당장'이 중요했다"며 지수가 왜 하교할 때까지 기다리지 못하고 교칙을 어기면서까지 당장 떡볶이를 먹어야 했는지를 설명했다. 그는 사랑과 혁명을 나란히 언급하며 '사랑의 현재적 혁명성'을 얘기했다. "혁명을 하기에 적절한 시점이라는 건 존재하지 않는다. 적절한 타이밍을 찾는 동안 혁명의 의미는 퇴색되기 마련이

총은 총을 부르고 꽃은 꽃을 부르고

다. 혁명을 하기에 좋은 타이밍이라는 게 있다면 그건 지금 당장이다. 사랑도 마찬가지다. 지금 사랑하지 않으면 안 된다는 것, 일종의 사랑의 혁명성에 대해 생각했다." 중요한 건 과거와 미래의 사랑이 아니라 현재의 사랑이다. 사랑은 유예할 수 있는 것이 아니다. 양보할 수 있는 것도 아니다. 지수는 자신이 진정으로 사랑하는 것을 쟁취하기 위해 떡볶이 혁명의 투사가 된다. 〈우리에겐 떡볶이를 먹을 권리가 있다〉에 부제를 붙인다면 '우리에겐 지금 당장 사랑할 권리가 있다'여도 좋을 것이다.

　　하지만 혁명도 어렵고 사랑도 어렵다. 학교라는 공간은 사랑을 호락호락 허락하지 않는다. 적어도 한국의 학교는 학생들의 사랑과 욕망과 자유를 유예하게 만드는 공간에 가깝다. 모든 것은 '대학 입학' 이후로 미뤄진다. 대학에 가면 모든 것이 이루어질 것처럼 얘기하지만 사실 그건 모두가 아는 어른들의 거짓말이다. 대학에 가면 취업 걱정해야 하고, 취업을 하면 월급의 노예가 되고, 월급의 노예가 되면 나의 진짜 꿈이 무엇이었나 고민하게 된다. 인생의 방황은 끝나지 않는다. 다시 영화 얘기로 돌아와, 지수의 떡볶이 사랑을 방해하는 장애물은 학교에 있다. 굳게 닫힌 교문, 교문을 닫기로 한 결정, 그 결정을 실행하는 선생님이 모두 장애물이다. 학교는 예외를 허용하지 않고 교문을 닫음으로써 학생들을 학교에 가둔다. 몸은 학교에 있지만 마음은 학교 밖에 있는 상태라면 우리는 질문할 수밖에 없다. 우리는 지금 어디에 있는가. 굳게 닫힌 교문이 지수의 사랑을 방해할 수 없었던 것처럼, 문을 닫는다고 학생들의 마음과 생각까지 가둘 수는 없다.

좀비, 지금 학교에 대한
거대한 은유

영화 속 교실 풍경에는 예나 지금이나 변하지

총은 총을 부르고 꽃은 꽃을 부르고

않은 모습이 담겨 있다. 더불어 영화가 의도치 않게 포착한 시대의 변화도 살필 수 있어 흥미롭다. 우선 익숙한 것. 조례시간 담임선생님은 기계적으로 말한다. "지각, 조퇴 안 된다. 염색, 파마 안 된다. 학교 앞 불량식품 안 된다…" 죄다 안 되는 것투성이다. 요즘의 고등학교 교실 풍경과는 차이가 있을지 몰라도, 적어도 이 영화가 만들어진 2016년과 그 이전에 학교를 다닌 이들은 영화 속 조례시간의 선생님 멘트가 꽤나 익숙할 것이다. 특히 여고생들은 치마 길이와 머리 길이 단속을 피해갈 수 없었을 것이고, 학급의 모의고사 성적이 좋지 못해 담임선생님의 안색까지 덩달아 어두워지는 것을 목격해야 했던 일도 있을 것이다. 두발 및 복장 규제와 체벌까지 허용되던 시절에 학교를 다닌 사람으로선 불시의 소지품 검사, 이유가 모호한 단체 기합과 체벌의 경험도 낡은 추억의 앨범 속 한 귀퉁이에 좋지 못한 기억으로 남아 있다.

"여기 있는 한 너희들은 좀비라고 생각해. 대학가면 사람 된다." 담임선생님의 이 말은 직유에 가까운 은유다. 학교는 감옥, 학생은 좀비. 좀비란 무엇인가. 살아 움직이는 시체, 영혼 없는 시체다. 똑같은 옷

똑같은 머리를 하고 같은 시간에 같은 교육을 받고 같은 밥을 먹는 학생들이 우루루 몰려다니는 모습은 학교를 배경으로 한 좀비물인 넷플릭스 시리즈 〈지금 우리 학교는〉에도 등장한다. 〈지금 우리 학교는〉은 좀비 바이러스가 창궐해 학교에 고립된 학생들이 좀비가 된 이들과 맞서 싸워 생존 투쟁을 하는 이야기다. 좀비로 변한 학생들은 좀비 바이러스에서 살아남은 학생들을 공격한다. 서로가 서로를 문자 그대로 물고 뜯는다. 이 역시 지금 우리 학교에 대한 거대한 은유다. 좀비로 변하기 전에도 학생들은 좀비와 별반 다르지 않은 생활을 했는지 모른다. 〈지금 우리 학교는〉을 만든 이재규 감독은 말했다. "목동에 살 때 베란다에 서서 김밥 옆구리 터지듯 학원에서 쏟아져 나오는 학생들의 모습을 보며 늘 안됐다고 생각했다. 좀비에게 공격당하는 아이들은 원래도 좀비처럼 살고 있었다는, 일종의 복선처럼 작용하는 장면이다."(〈씨네21〉 '이재규 감독이 말하는 화제의 넷플릭스 시리즈 〈지금 우리 학교는〉 기사 중에서 인용)

학생의 인권이 신장되고 보호받아야 한다는 생각이 모여 학생인권조례가 만들어졌다. 2010년 경기도를 시작으로 광주광역시, 서울시, 전라북도 등이 차례로 학생인권조례를 제정했다. 헌법, 교육기본법, 초중등교육법, 유엔아동권리협약에 근거해 모든 학생이 인간으로서의 존엄과 가치를 실현하는 것을 목적으로 하는 학생인권조례는 차별받지 않을 권리, 교육복지에 관한 권리, 표현의 자유, 양심과 종교의 자유 등의 내용을 담고 있다. 일례로 서울학생인권조례 제12조(개성을 실현할 권리)에는 "학생은 복장, 두발 등 용모에 있어서 자신의 개성을 실현할 권리를 갖고, 학교의 장 및 교직원은 학생의 의사에 반하여 복장, 두발 등 용모에 대해 규제하여서는 아니 된다"는 내용이 있다.

학생인권조례에 따르면, 아니 굳이 학생인권조례를 참고하지 않더라도 요즘 시대의 인권 감수성에 비추어 보면 〈우리에겐 떡볶이를 먹을 권리가 있다〉의 지수네 반 급훈은 상당히 반인권적이다. 급훈은 다름 아닌 "너희는 못생겨서 항상 웃어야 된다"이다. 물론 영화는 이것을 지금 우리 교실의 인권 실태를 보여주기 위한 장치로 사용했지만, 이상하게 이 급훈을 보고 있으면 웃고 싶어지지 않는다. 이 외에도 '엄마가 지켜보고 있다'(엄마는 대체 어떤 존재인가), '2호선을 타자'(2호선에 있는 대학만 대학인가), '지금 공부하면 남편의 직업/아내의 얼굴이 바뀐다'(결혼은 조건 따져 하는 게 아니라 사랑으로 하는 건데… 그런 그렇고 왜 남자는 돈 여자는 얼굴이 평가의 기준인가) 등 반인권적 교훈이 웃긴 교훈으로 둔갑하는 경우도 있었다. 지금 같으면 절대 급훈 액자에 걸지 못할 말들이지만, 학교가 차별적이고 비하적인 가치관을 학생들에게 주입해온 것은 아닌지 반성이 필요하다.

영화에는 또한 조례시간에 반장이 학생들의 휴대전화를 수거하는 장면이 스치듯 지나간다. 참고로 앞서 언급한 〈지금 우리 학교는〉에서도 학생들은 휴대전화를 수업 시작 전 반납한 상태라 좀비 바이러스가 창궐했을 때 즉각 외부와 연락을 취하지 못하는 상황이 벌어진다. 학교에서 학생들의 휴대전화 소지 및 사용을 어느 정도까지 허용하고 제한해야 하느냐의 문제는 현재도 논란이 되고 있는 사안이다. 이와 관련해 국가인권위원회는 교내에서 휴대전화 소지 및 사용을 전면 제한하는 것은 인권 침해라고 판단, 학생 생활 규정을 개정하라는 권고를 꾸준히 내놓고 있다. 이를테면 조례시간에 학생들에게서 휴대전화를 수거한 뒤 방과 후에 돌려준다거나, 기숙학교에서 취침 전에 휴대전화를 수거한 뒤 아침에 돌려주는 사례들을 인권 침해로 보고 있다. 「헌법」 제10조 행복추구권에 바탕을 둔 일반적 행동의 자유와 제18조 통신의 자유를 침해한다고 판단한 것이다. 실제로 2022년 국가인권위원회는 광주, 전남, 전북 지역 국공립 고등학교 기숙사 150곳을 상대로 직권조사를 진행했다. 이 중 46개 학교가 휴대전화 수거 및 사용을 제한했고, 20개 학교가 기숙사 취침 전 휴대전화를 수거한 뒤 아침에 돌려줬다고 한다. 요즘은 군대에서도 일과가 끝나면 사병들의 휴대전화 사용이 허락되는데, 기숙사에서 생활하는 고등학생들은 군인보다도 자유를 제한당하고 있는 실정이다.

인권위의 권고를 받은 학교 측은 대부분 학생들의 학습권과 교사의 수업권 보호를 위한 결정이며, 교사, 학생, 학부모 등 구성원의 의견을 취합했기 때문에 별 문제가 없다는 입장이다. 이에 대해서도 인권위는 휴식시간 및 점심시간에는 사용을 허락하는 등 학생들의 인권 침해를 최소화하면서 교육적 목적을 달성할 수 있는 방법을 강구하는 노력을 기울여야 하며, 휴대전화 소지 및 사용의 '전면적 제한'은 과잉금지의 원칙을 위배한다고 보고 있다. 더불어 인권위는 학생 생활 규정이 교사, 학생, 학부모 등 구성원의 의견을 반영한 결과이기 때문에 문제가 없다는 주장에 대해서 절차적으로 정당하다 하더라도 내용에 문제가 있으면 그 결정은 실질적 정당성을 확보했다고 보기 어렵다는 입장을 내놓은 바 있다. 이것은 거칠게 말해 악법도 법이다와 악법도 법일까의 문제로 볼 수 있다. 법과 규칙은 필요하다. 아니 중요하다. 그러나 법과 규칙은 우리의 삶을 더 나은 방향으로 이끌기 위한 것이어야 한다. 또한 법과 규칙은 살아 움직이는 것이다. 시대의 정신과 가치에 따라 변할 수 있어야 한다. 학생들을 위한 규칙은 그들을 통제하기 위해서가 아니라 보호하기 위해서 필요한 것이어야 한다.

어쩌다 학교는
이토록 살벌한 공간이 되었을까

최익환 감독 역시 다음 작품의 취재 차 모 고등
학교의 기숙사를 방문한 경험을 들려줬다. 그 기숙사
는 학생들이 방에 들어가고 나갈 때 출입카드를 꽂는
다고 했다. 학생들의 출입 시간이 모두 기록되는 것이
다. "곳곳에 성능 좋은 CCTV도 설치되어 있었다. 학
생들은 감시 체제 하에서 생활하고 있었다. 학생과 학
부모의 동의로 운영되고 있지만 학생들이 자발적으
로 동의한 것이라기보다는 부모들이 원하는 방식이
었을 것이다. 모두가 학업 성적을 위해 한마음으로 이
런 생활을 하고 있다는 것이 놀라웠다." 그러면서 그
는 "한국에서 가장 힘든 개혁은 부동산 개혁과 교육
개혁이 아닐까"라고 말했다. 어쩌다 우리는 한마음으
로 학교에서의 지나친 통제와 감시를 허용하게 되었
을까. 어쩌다 우리는 한마음으로 학교를 경쟁의 장으
로 만들게 되었을까. 어쩌다 학교는 이토록 살벌한 공
간이 되었을까.

　　지금 학교는 제대로 몸살을 앓고 있다. 최근 학생인권조례도 개정될 위기에 처했다. 학생인권과 교권이 대립하는 이상한 상황이 벌어지고 있다. 주말이면 선생님들이 검은 옷을 입고 거리로 나오고 있다. 교사가 행복하지 않은 학교에서 과연 학생들은 행복할 수 있을까. 얼마 전 길을 가다 어느 고등학교 담벼락에 붙은 한 현수막을 보았다. 선생님들이 걸어놓은 현수막이었다. "학생에겐 학습권을, 교사에겐 교육권을 – 서이초 교사를 추모하며. 00학교 교사 일동" 당연한 것들이 당연하게 받아들여지지 않게 된 사회다. 학생에겐 학습권이 보장되지 않고 교사에겐 교육권이 보장되지 않기 때문에 저 당연한 말을 현수막으로까지 만들어 붙여 놓은 거겠지 싶어 안타까웠다.

　　　　　　　　　　　　　총은 총을 부르고 꽃은 꽃을 부르고

2023년 여름, 서울 서이초등학교의 젊은 교사가 사망했다. 그 죽음에 충분히 분노하고 아파하고 슬퍼하기도 전에, 그 죽음에 대한 진상 규명이 채 이루어지기도 전에, 학생 생활 지도에 어려움을 겪거나 학부모의 악성 민원에 시달리다가 극단적 선택을 한 교사들의 비극적 소식이 연이어 들려왔다. 추락한 교권과 학교의 현실은 언론을 통해 뒤늦게 하나둘 드러나기 시작했다. 충격이었다.

학생들의 인권과 학습권이 보호되어야 하는 것과 마찬가지로 교사들의 인권과 교육권도 존중받아야 한다. 그런데 이제는 교사들이 교육권이 아니라 생존권을 보장해달라고 호소하고 있다. 2023년 8월 전국교직원노동조합과 녹색병원이 전국 교사 3,505명을 대상으로 실시한 직무 관련 마음 건강 실태조사 결과를 보면 24.9%가 경도 우울 증상, 38.3%가 심한 우울 증상을 보였다고 한다. 일반 성인의 심한 우울 증상은 8~10%라고 하니 교사들의 우울 증세가 4배 가까이 높다. 2023년 9월 4일엔 전국의 교사들이 '공교육 멈춤의 날'을 선언했다. 서이초등학교 교사의 49재였던 이날, 선생님들은 병가나 연가를 내고 학교가 아닌 추모 집회에 나섰다.

정부와 정치권은 빠르게 교권 강화 대책을 내놓았다. 국회에선 '교권 보호 4법'을 통과시켰다. 교사의 정당한 생활지도는 아동학대로 보지 않고, 학교 민원은 교장이 책임지는 내용 등이 담겼다. 교육부는 수업 방해 학생의 교실 밖 분리 조치 등이 담긴 '교원의 학생생활지도에 관한 고시'를 발표했다. 그럼에도 보완과 논의는 필요해 보인다. 교사들은 여전히 아동복지법 개정을 촉구하고 있다. 아동의 정신건강 및 발달에 해를 끼치는 정서적 학대 행위를 금지하는 아동복지법을 근거로 무분별한 아동학대 고소·고발이 행해질 수 있다는 불안감이 크기 때문이다. 또한 '교원의 학생생활지도에 관한 고시'는 학생인권조례와 충돌할 여지가 있다. 고시에 담긴 '건전한 학교생활 문화 조성을 위한 용모 빛 복장 지도'가 일례다. 교육부가 교권 추락의 원인이 학생인권조례 때문인 것처럼 언론에 이야기한 것도 유감스럽다. 과연 교권과 학생 인권은 대립하는 것인가. 학생의 인권과 함께 교사의 인권이 동시에 존중받는 일은 불가능한가. 그렇지 않을 것이다.

학교는 유토피아를 선취하는
소우주여야 한다

국가는 국민의 교육받을 권리를 보장한다. 대한 민국의 교육기본법 제2조는 교육의 목적을 이렇게 명시한다. '교육은 홍익인간의 이념 아래 모든 국민으로 하여금 인격을 도야하고 민주적 생활능력과 민주시민으로서 필요한 자질을 갖추게 하여 인간다운 삶을 영위하게 하고 민주국가의 발전과 인류공영의 이상을 실현하는 데 이바지함을 목적으로 한다.' 학교는 그런 교육이 이루어져야 하는 곳이다. 진정 학교는 어떤 곳이어야 할까. 독일의 교육학자 훔볼트는 "학교는 유토피아를 선취하는 소우주"라고 했다. 학교는 단지

국어와 수학과 과학과 외국어를 배우는 곳이 아니라 배려하는 법, 사랑하는 법, 꿈꾸는 법을 가르치고 배우는 곳이어야 한다. 우리는 모두 '배운 사람'이다. 바른 생활과 슬기로운 생활이 무엇인지 이미 학교에서 모두 배웠다. 다만 그것을 잊고 살아서 문제다. 우리에겐 떡볶이를 먹을 권리뿐만 아니라 학교와 교육의 본질을 바로 세울 의무가 있다.

이주현

총은 총을 부르고 꽃은 꽃을 부르고

〈힘을 낼 시간〉
(Time to be Strong, 2022, 116분, 관람가 미정)
감독: 남궁선
장르: 드라마

3장

추앙받지
못하는
낙오된 아이돌

"이른 나이부터
　　　　너무 힘을 내고
살아온 사람들"

남궁선 감독 주요 필모그래피

〈힘을 낼 시간〉(2022) 〈얼굴 보니 좋네〉(2022) 〈십개월의
미래〉(2020) 〈여담들〉(2019) 〈세상의 끝〉(2017) 〈남자들〉
(2013) 〈AVI〉(2013) 〈태평양〉(2010)
〈최악의 친구들〉(2009)

이른 나이부터 너무 힘을 내고
살아온 사람들

〈연세춘추〉는 2020년 11월 14일, "K-POP 산업의 노동 착취와 인권 침해에 주목해야 할 때다"라는 사설을 내놓았다. "K-POP은 스타를 꿈꾸는 수많은 청소년의 경쟁을 통해 빠르게 성과를 올릴 수 있었다. 그러나 화려한 K-POP 산업의 이면에는 오랫동안 묵인돼 온 노동 착취와 인권 침해 문제가 숨겨져 있다." 이 글에서는 아이돌 청소년이 대부분 십대에 연습생 신분으로 기획사에 들어갔음을 지적한다. 그 결과 건강권, 학습권, 노동권, 인격권 등 인간으로서의 기본권을 보장받지 못할 때가 많았다는 것이다. 연습도 공연 스케줄도 혹독하기 그지없다. 체중부터 연애 문제에 이르기까지 소속사의 통제는 과도한 게 자연스럽다고 말해지고, 그 속에서 꿈을 이루고자 하는 이들은 불면증, 우울증, 공황장애를 겪으면서도 현실의 고단함을 토로할 곳을 찾지 못한다. 그만두려고 해도 위약금 문제로 그만두지 못하는 경우가 많다.

아, 이렇게 이야기를 시작하는 건 K-POP에 올

바른 처사가 아닌 것 같다. K-POP은 한국에서 많은 (청소년 관련) 문제의 원인이자 해법처럼 취급되곤 한다. 원인 편. 여성 청소년의 외모 강박, 거식증 등의 문제 원인이 K-POP이라는 해석. K-POP 콘텐츠를 소비하기 위해 들이는 금전적, 시간적 노동에 대한 문제 제기. 해법 편. 아이돌에는 몰입하는 쾌감이 있다. 그와 동시에 무엇에든 빠져들어 맹렬히 소비하지 않고는 현실에서 소모되는 고단함을 견디기 어렵다고 느낀다. 누구에게나 몰입할 거리가 필요하다. 십대만 K-POP을 좋아하는 것은 아니며, K-POP 팬덤을 뛰어넘는다고 해도 과언이 아닌 트롯트 경연대회 우승자들의 팬덤은 또 어떠한가. 게다가 2023년 여름에 있었던 새만금 세계스카우트 잼버리 K-POP 콘서트처럼, 국가 차원에서의 문제를 해결하는 데에도 만능열쇠처럼 쓰이는 것이 K-POP이다. 사랑받는 만큼, 책임도 지고 있다. 문제는 커다란 사랑에 커다란 책임을 지는 것부터가 인기를 토대로 한다는 사실에 있다. 세상에는 데뷔하지 못하는 아이돌 지망생이 많이 있고, 몇 년씩 소속사에서 트레이닝을 받고도 무대에 설 기회조차 얻지 못한다. 데뷔한다고 끝이 아니다.

총은 총을 부르고 꽃은 꽃을 부르고

2023년 JTBC에서 방영된 서바이벌 예능 프로그램 〈피크타임〉은 이미 데뷔한 아이돌들이 주인공이다. 데뷔했지만 무대에 설 기회를 충분히 얻지 못한 아이돌 그룹 멤버들이 출연해, 새롭게 프로듀스되어 활동할 기회를 얻기 위해 겨루는 프로그램이다. 즉, 데뷔한 다음에도 '묻히는' 아이돌이 많으며, 심지어 히트곡이 있어도 후속곡이 '터지지 않으면' 다시 무명이나 다름없는 인지도로 되돌아가기도 한다. 그렇게 잊힌, 회사에서도 '케어'하지 않는 아이돌은 어디로 갈까. 그들의 이야기를 하는 영화가 남궁선 감독의 〈힘을 낼 시간〉이다.

'케어'받지 못하는 아이돌의 향방, 〈힘을 낼 시간〉

·

제주 공항에 세 젊은이가 있다. 이십대 초중반인 수민, 태희, 사랑은 짐을 끌고 어딘가로 가고 있다. 셋은 팔다리가 길고 앳된 얼굴을 하고 있다. 수민의 내레이션. "길을 찾아가는 것이 어렵다. 이제는 익숙해질 법도 한 이 작은 활동 안에 담긴 수많은 과정들이 여전히 서툴고, 어색하게 느껴진다." 목적지를 정하고 그곳을 향해 간다. 길을 찾는다는 것은 그토록 단순한 행위지만, 목적지를 상실했다면 어떻게 해야 좋을까. 혹은, 이렇게 길을 찾아본 적이 없다면 이제부터 어떻게 살아야 할까. 여성인 수민과 사랑, 남성인 태희의 공통점은 그들이 아이돌 그룹 멤버라는 데 있다. 같은 그룹은 아니다. 그런데 매니저는 어디 있을까? 그들을 따라잡는 팬들은? 아무것도 없이 그들은 셋이 단출하게 움직인다. 매니저 없이 그들끼리 가고 싶은 곳을 정해서 그곳까지 알아서 움직인다는 것 자체가 낯선 행위임을, 영화가 시작되고 얼마 지나지 않아 알 수 있다.

총은 총을 부르고 꽃은 꽃을 부르고

〈힘을 낼 시간〉은 이 셋이 은퇴한 아이돌이라고 친절하게 알려주고 시작하지 않는다. 그런 정보보다 먼저 눈길을 끄는 것은 타인의 시선에 예민한 이들의 태도다. 제주도에 도착한 세 사람은 버스를 탄다. 다른 여자 승객과 눈이 마주치자 태희는 반사적으로 미소를 짓고, 그 미소를 받은 여성 승객은 반사적으로 언짢은 얼굴을 한다. 태희는 지나가는 모든 이들에게 미소를 날린다. 그런 태희에게 수민은 눈을 부라린다. 눈이 마주치면 미소를 지어야 하는 직업. 사석에서 다른 사람의 시선이 쏠리면 불안해지는 직업. 이런 문제에 대해 숙고할 틈도 없이 사건이 터진다. 사랑이 버스에 짐을 두고 내렸다. 매니저 없는 여행이 이렇다.

　　〈힘을 낼 시간〉은 말을 많이 하지 않는다. 침묵 속에 존재하는 세 사람, 얼굴에 설핏 스치는 슬픔의 기운 같은 것을, 관객은 읽고 또 읽어야 한다. 피로감, 슬픔 그리고 불안의 얼굴은 무대 위 아이돌에게서는 보기 어려운 감정이다. 자연인으로 존재하는 순간에서야, 카메라가 없는 곳에서야, 그들은 편안한 표정으로 돌아온다. 그 '편안함'에 피로감, 슬픔 그리고 불안이 묻어있는 것이다. 이들의 사연을 모르는 채 우리는 이들의 여정에 동행한다. 별일 아니라는 듯 오가는 대화를 들어보자.

> "애들 수학여행 가는 거 부러워하던 게 엊그제 같은데." (수민)
>
> "그때는 걔네들이 우리 부러워했었지." (태희)
>
> "난 그게 막 그렇게 좋진 않았어. 그냥 매점에 줄서 있기만 해도 뒤통수가 간지러운 거. 싫지 않아?"(수민)
>
> "난 좋았는데? 너네는 너네 할 거 해라. 나는 내 길 가련다…" (태희)
>
> "그게 벌써 몇 년 전이야." (수민)
>
> "10년? 11년 전이네." (태희)

동갑내기인 수민과 태희는 26살이다. 이들의 대화 속에서 '10년 전'으로 이야기되는 시간은, 학교에 가는 대신 아이돌이 되기 위한 꿈을 키우던 시기였다. 스무 살이면 세상이 끝나는 줄 알았던 그 시절. 문제는 스물이 지나고 나서도 그때의 공포가 사라지지 않았다는 데 있다. 아이돌이 되기 위해 살았던, 아이돌로 살았던 시간이 남긴 흔적은 이들의 몸에 선명한 흔적을 남겼다. 수민은 음식을 깨작거리지만 잘 먹지는 못한다. 결국 음식을 삼키는 대신 냅킨에 슬쩍 뱉어버린다. 음식을 배부르게 먹어서는 안 된다. 아니, 애초에 음식을 먹는 것 자체를 조심해야 한다. 그렇게 몸에 남은 흔적뿐 아니라 마음에 남은 상처도 있다. 시종일관 이어폰을 끼고 있던 사랑이 갑자기 이어폰을 빼면서 다른 테이블 사람들에게 버럭 화를 낸다. "뭐라고 했냐고 이 개새끼야!" 사랑이 갑자기 자리에서 튀어 올라 테이블을 밟고 옆 테이블로 건너간다. 주변 사람들이 반응할 새도 없이 사랑은 주먹으로 남자의 얼굴을 가격한다. 대체 무슨 일이 생겼는지 다들 어리

둥절한 참이다. 설득력은 부족하고 참담하기는 이를 데 없는 수민의 해명이 이어진다. "죄송합니다. 정말 죄송합니다. 저 친구가 원래 정신과 약이 필요한 친구 인데 오늘 가방을 잃어버려서 못 먹었어요."

그들이 사는 세상이 어떤 곳인지가 이렇게 슬쩍 슬쩍 드러난다. 〈힘을 낼 시간〉의 미덕은, 그런 속 깊 은 친구 같은 태도에 있다. 〈힘을 낼 시간〉은 시사고 발 다큐멘터리가 아니라 극영화다. 주인공은 실제 있 을 법한 친구들이면서도, 실제 존재하는 이들이 아니 다. 사랑이 갑작스레 휘두른 폭력을 두고 수민은 빠르 게 곡진한 사과를 건넨다. 거기에도 이유가 있다. 수 민의 내레이션이 이어진다. "통제되지 않는 일 앞에 서는 미안하다고 한다. 미안하다고 하는 게 가장 빠 르다. 미안하지 않으면 논란이 생긴다. 논란이 생기면 이미 시험대 위에 올라 있는 것이다. 그것은 언제나 지는 게임이다."

'망돌'이라는 말이 있다. '망한 아이돌'이라는 뜻 이고, 인기가 없어서 행동이 뜸하거나 인지도가 낮은, 나아가서는 해체 위기에 놓인(혹은 해체된 그룹의) 아이 돌을 의미한다. 하지만 영화는 그런 낙인을 찍지 않는

총은 총을 부르고 꽃은 꽃을 부르고

다. 대신 여행을 떠난 세 명의 아이돌 그룹 멤버들의 길 위의 시간을 통해 만들어내지 않은 그들의 얼굴을 응시한다. 그리고 드러나는 것은, 그들이 꾸며내야 했던 태도들의 비인간적인 측면이다. 잘잘못을 가리는 대신 논란을 만들지 않기 위해 미안하다고 해 버리기. 식사를 하는 대신 입에 든 음식도 뱉어버리기. 이들이 여행을 떠나야 할 정도로 상처 입게 만든 큰 사건은 영화의 후반부에 가서야 모습을 드러낸다. 동료가 죽어도 마음껏 애도할 수 없다는 것이 이들에게 남긴 상흔은 무엇일까. 남궁선 감독은 주인공들을 중소 기획사 출신의 아이돌 그룹 멤버들로 설정했다. "애매하게 계속 희망을 붙들고 있다가 이십대 후반이 되어서야 포기할 수 있게 되었으리라는 설정이에요. 무대까지는 가 본, 하지만 연명하듯이 활동해온. 그런 상태는 연옥 같다는 생각이 들어요. 취재를 해보면 너무 많은 것을 포기하고 너무 많은 것을 투자하게 시스템이 되어 있어요. 바로 잘됐을 때는 해피 엔딩이죠. 바로 망했을 때도 아주 해피 엔딩은 아니지만 끝이 보이는 건 맞아요. 그런데 삶을 너무 많이 일찍 투자하다 보니까 포기를 잘 못하게 되는 사람들이 있어요. 영화의 주인공은 그런 친구들입니다."

꿈을 펼치기 위해
무엇을 대가로 지불해야 할까?

아이돌은 오랫동안 청소년이 원하는 장래희망 1위로 언급되었다. 〈내일교육〉은 974호에서 "아이돌 제친 장래희망 1순위 유튜버 꿈과 욕망 사이 '아동 인권'은?"이라는 제목의 기사를 실었다. 아이돌이라는 직업이 후순위로 밀렸다기보다는, 아이돌이 될 수 있는 새로운 경로를 유튜버라고 생각하는 것은 아닐까. 아이돌? 셀러브리티! 유튜브와 틱톡 영상 시청이 일상이 된 청소년들이 직접 크리에이터로 활약하고 싶어 하는 것은 놀랄 일이 아니다. 하지만 소속사가 아닌 부모가 더 큰 힘을 발휘하는 청소년 유튜버의 세계에도 문제는 있다. "어린이와 청소년들의 장래 희망 순위에서도 '유튜버'는 상위권을 차지하고 있다. 전 세계적으로 미성년, 특히 아동 유튜버들이 고소득자 명단에 이름을 올리자 이를 모방한 '유튜브 키즈 채널'도 우후죽순 난립하고 있다. 자신의 꿈을 일찍 찾고 재능을 펼친다는 점에선 유의미하지만 그 이면에 있는 '미성년의 노동' 등에 관한 우려의 시각도 크다."

꿈을 펼치기 위해 무엇을 대가로 지불해야 할까? 〈힘을 낼 시간〉은 그 질문에 답하기가 어렵다는 사실을 이십대 초중반의 청년들을 통해 보여준다. 자신이 겪은 일임에도 그 경험을 언어화하기 어렵다는 사실을 주인공들은 어렵사리 깨달아가는 중이다. 〈힘을 낼 시간〉이 견지하는 태도 역시 신중하다. 주인공들을 볼거리로 만들지 않기 위해서, 그들의 꿈을 비웃지 않고 그들의 아픔을 구경거리로 만들지 않는다.

남궁선 감독은 제주도에서 영화를 한 편 찍어야겠다는 생각으로부터 〈힘을 낼 시간〉이 출발했다고 이야기한다. "저는 원래 청년층에 관심이 많은 편이에요. 십대, 이십대, 나침반 없이 살아가는 사람들. 그래서 청년 단체들에 아무 목적 없이 가서 취재를 하고 그랬어요. 이야기를 듣다 보니까 다들 열심히 사는데, 경쟁 체제에 내몰려서 열심히 살긴 하는데 방향성이 없는 채로 일단 열심히 살고 보는 것들 때문에 괴로워하는 경우가 많은 듯했어요. 목적 없음 때문에 괴로운 와중에 경제적인 문제와 자아 문제도 해결해야 하는 거죠." 은퇴한 아이돌 셋이 제주도 여행을 떠나는 이야기는 그렇게 서서히 싹을 틔웠다.

시나리오를 쓰는 과정에서 취재도 든든히 하려고 노력했다. 업계에 있는 사람을 만나기도 했고, 관련한 연구를 진행한 이들과 이야기하기도 했다. 데뷔하고 활동한 적 있는 아이돌 그룹 출신을 만나기도 했다. 십대부터 어떻게 활동해왔는지. "개인의 얘기여서 더 저에게는 깊게 다가왔던 것 같아요. 언론 보도로 접하는 극단적인 일면이 아니라, 밝고 에너지 넘치는 긍정적인 사람들이 살아온 이야기를 듣는데 씩씩하게 얘기를 하더라고요. 그때 제가 느낀 감정이 뭔지는 모르겠는데 그 감정 때문에 이 영화에 들어가야겠다는 생각을 했어요." 취재를 많이 했지만, 때로 충격적인 사실들을 접하기도 했지만, 그런 이야기들을 영화에 넣지는 않았다. 제목 '힘을 낼 시간'에 충실하게, 이들의 제주도 여행이 이어지는 중에 대화를 통해 작은 단서들을 얻어갈 수 있게 만들었다. "취재를 하다 보니까 이거는 누군가에게 너무 트라우마가 될 수 있는 이야기여서 선정적으로 다룰 수가 없었어요. 돌려돌려 다뤄야 하는데다가, 인물들은 자신이 겪은 아픔을 말하고 다니는 스타일의 사람들이 아니에요. 그래서 고민하다가 내레이션을 적극적으로 써보자라는 생각을 하게 된 거예요. 이미 사라져버린 그 목소리가 더 사라지는 느낌을 막고 싶었어요. 겉모습만 보여주면 우리가 또 보고 싶은 대로 그걸 해석할 것 같으니까, 그럴 거면 적극적인 목소리를 줘버리자."

K-POP의 이면, 너무 일찍 낙오를 받아들여야 하는 아이들

〈힘을 낼 시간〉은 세 친구의 여행기지만, 사실 이 여행을 가고 싶어 했던 다른 한 명의 또래가 있었다. 그 그림자를 인지할 수 있는 것은 극의 후반부에 이르러서인데, 그때가 되어서야 이 여행이 애도를 위한 것이었음이 드러난다. 자기 자신을 돌보기도 벅찬 상황이었지만 자신이 돌보지 못한 친구를 떠올리며 자책하는 심정이 드러날 때, 영화는 소리 없이 울음을 터뜨린다. 난처하다, 슬프다, 퇴로가 없다. 일어난 안 좋은 일들을 자기 탓으로 돌리는 수민과 어떤 상황에 처하든 무조건 웃음으로 무마하려는 태희는 너무 이

른 나이에 아이돌로 데뷔하면서 사회생활을 시작했
지만 아이돌이 아닌 삶에 대해서는 아는 바가 너무도
없다. 누구랄 것 없이 아슬아슬한 상황에서 줄타기를
하면서도 계속 옆에 있는 친구 걱정을 하고 있다. 남
궁선 감독은 영화 〈십개월의 미래〉에서 임신이 여성
의 삶에(무엇보다 사적이고 공적인 관계에) 미치는 영향에
대해 청년세대를 주인공으로 이야기를 풀어낸 바 있
다. 이번에도 이십대의 주인공이 등장한다. 그에게 이
십대는 어떤 나이일까. "성인은 성인인데 모든 걸 책
임지기에는 이른 때죠. 아이돌이라고 하면 십대 때부
터 자기 인생에 대한 책임을 지고 살아온 사람들이잖
아요. 영화의 주인공들은 고작 이십대 중반 정도의 나
이에 갑자기 그 일을 더 이상 할 수 없게 되는 상황에
처해요. 나침반이 없는데 무엇이든 계속 해야 하는 그
상태가 저의 관심을 끌어요. 이런 세상에서 20대가
헤매는 게 저는 미워 보이지가 않는 거예요. 굉장히
가깝게 느껴진달까. 제가 어른이 돼서도 항상 그 감정
은 가깝게 느껴지는 감정이고, 바라보고 싶은 감정이
에요."

　　십대의 꿈이라는 키워드를 아이돌과 엮었을 때

가능한 또 다른 조합의 영화가 있다. 오세연 감독의 〈성덕〉이다. 제목 '성덕'은 '성공한 덕후'라는 뜻이다. 스타를 멀리서 바라보는 팬에 그치는 게 아니라, 스타가 내 이름을 알고 내 얼굴을 아는, 가까워질 기회를 얻은 팬이라 성덕이다. 〈힘을 낼 시간〉이 이십대 중반에 은퇴라는 사건을 겪는 아이돌을 주인공으로 보여 준다면 〈성덕〉은 성공한 스타를 사랑했으나 그들이 사회면에 오르내리는 범죄의 주인공이 되면서 실망과 좌절을 겪는 팬들을 카메라에 비춘다. 〈힘을 낼 시간〉과 청소년기의 꿈과 좌절이라는 키워드를 공유하는 〈성덕〉은, 스타와 팬덤이라는 관점에서 서로를 비춰 보이는 이야기이기도 하다. 가장 빛나는 부분이 아니라 가장 비춰지지 않는 부분을 공유한다는 점에서 말이다.

〈성덕〉은 감독과 관객이 함께 완성하는 영화다. 어느 영화인들 그렇지 않겠는가 싶겠지만, 단언컨대 〈성덕〉은 다르다. 〈성덕〉은 특히 관객과의 대화가 포함된 상영 때 티켓팅 열기가 뜨거운데, 상영이 끝나고 관객과의 대화가 시작되면 관객들은 너나할 것 없이 손을 들고, 마이크를 받아든 사람은 이런 간증(?)과 함께 이야기(질문이 아닐 때도 많다)를 시작한다. "저는 OOO의 팬이었습니다…" 여기에는 성별과 세대의 층위에 대한 질문이 필연적으로 따라붙는다. 오세연 감독은 친구로부터 "왜 죄다 네 또래 여자들이야?"라는 질문을 들었다고 한다. "이 거대한 팬덤 현상에서 그 주체가 대부분 내 또래 여성인 건 부정할 수 없는 팩트다. 빠순이는 빠순이를 빠순이라 할 수 있는데, 다른 이가 우리를 비하하는 의미로 빠순이라고 하면 굉장히 기분 나쁘다. 특정 세대, 특정 성별, 특정 나잇대를 대상화하기 때문에 불쾌감이 배가되는 게 아닐까 싶다. 내 안에 상존하던 감각이 〈성덕〉을 만들면서 본격화됐다."(《씨네21》) 한국 사회에서 팬덤 내 (십대) 여성들의 심리를 돌아보는 일은 〈성덕〉의 성취 중 하나다. 숱하게 대상화되지만 주체로 호명되지 못하는 이들이, 누군가의 이름을 부르고 그의 팬으로 자리한다는 경험 속에 빠져든다는 것의 의미는 여전히 누군가의 덕후이든 덕후이기를 그만두었든 〈성덕〉에 출연하는 이들에게 중요한 논의가 된다. 산업 규모로 곧잘 치켜세워지는 K-POP의 이면을, 이 두 편의 영화는 살뜰하게 돌아본다. 남들이 사회인이 되는 출발선에 서

총은 총을 부르고 꽃은 꽃을 부르고

는 나이에 이미 낙오를 받아들여야 하는 이들의 마음을 헤아리게 만들고, 삶의 '열심'을 가능케 해주었던 스타의 추락으로부터 오는 배신감을 느낀 너무나 많은 이들의 장탄식에 귀를 기울인다.

궤도를 이탈한 사람들에게
적절한 때 손 내밀었나?

〈힘을 낼 시간〉은 이른 나이부터 너무 힘을 내고 살아온 사람들의 이야기다. 남궁선 감독은 제목이 막무가내의, 무성의한 응원 메시지처럼 들리지 않았으면 했다. "취재한 친구들에 대한 책임감 때문에 괴로웠던 순간이 많았어요. 그런 책임감을 굉장히 강하게 느꼈던 어떤 날이 있었어요. 주인공 세 사람에게 내레이션을 다 시킨 다음 저 자신에게 한 말이, '어쩌다가 이 짐을 지게 됐지만 내가 힘을 낼 시간이다'였어요. 아이돌도 그렇고 영화라는 일도 그렇고, 재능으로 하는 일이니까 네가 뛰어나면 될 거라고 사람들은 가볍게 생각해요. 어떤 것도 그렇지는 않을뿐더러, 아이돌 같은 경우는 보이지 않는 데에서 엄청나게 노력을 해서 완성된 채로 사람들 앞에 서야 하니까 압박감이 더하죠. 누구나, 아이돌 출신이 아니라고 해도, 과도하게 자기를 몰아붙이는 게 당연한 사회에서 사람들이 갖는 피로감을 공유한다고 생각해요. 궤도에서 이탈한 사람들에게 손을 적절한 때 내밀었나? 하는 죄책감을 다 같이 느낄 수밖에 없어요." 〈힘을 낼 시간〉은 그렇게 뒤에 남은 사람들에게 손을 내미는 영화다. '다음'을 생각할 수 있는 에너지를 모두가 발견할 수 있기를 간절히 바라면서.

이다혜

〈봉구는 배달 중〉

(Bong-gu on delivery, 2013, 33분, 12세 이상 관람가)

감독: 신아가, 이상철

장르: 드라마

4장

아이와 노인은
무엇이
닮았을까

"노인을 위한 나라가
사라지고 있다"

신아가 감독 주요 필모그래피

〈속물들〉(2018) 〈어떤 시선〉 중 〈봉구는 배달 중〉(2012)
〈밍크코트〉(2011) 〈나쁜 아들〉(2004) 〈WING〉(2003) 〈날
개〉(2002)

이상철 감독 주요 필모그래피

〈계단〉(2022) 〈투빅맨〉(2020) 〈속물들〉(2018) 〈어떤 시선〉
중 〈봉구는 배달 중〉(2012) 〈밍크코트〉(2011) 〈3년 후〉
(2003)

80세, 쓸만한 청춘!

"육십세에 저세상에서 날 데리러 오거든 아직은 젊어서 못 간다고 전해라

칠십세에 저세상에서 날 데리러 오거든 할 일이 아직 남아 못 간다고 전해라

팔십세에 저세상에서 날 데리러 오거든 아직은 쓸만해서 못 간다고 전해라"

어르신들의 마음을 복사하듯 읽어내 역주행 히트한 이애란의 대표곡 〈백세인생〉의 가사 중 일부다. 노래는 90세와 100세까지 이어지는데 "알아서", "좋은 날 좋은 시"에 저세상에 갈 테니 재촉하지 말라는 내용이다. 이 노래에 따르면 80세까지는 아직은 젊고 할 일이 많은 쓸만한 청춘이다.

독일 철학자 프리드리히 니체의 운명관을 나타내는 '아모르 파티'는 '자신의 삶을 긍정하고 사랑하라'는 뜻을 가진 철학용어지만 국내에선 가수 김연자의 노래로 더 유명하다. 김연자의 〈아모르 파티〉에는 이런 가사가 있다. "나이는 숫자 마음이 진짜 가슴이 뛰는 대로 가면 돼." 나이보다 중요한 건 마음이란 걸,

그러니 한 번뿐인 인생 멋지게 살다 가면 된다는 걸 〈아모르 파티〉는 흥겨운 리듬에 실어 전한다. 가사와 멜로디와 장르가 신묘하게 조화를 이루는 이 음악의 흥은 젊은이들도 거부할 수 없다. 우리는 모두 신체적 노화에서 자유로울 수 없지만 결국은 일체유심조, 모든 것은 마음먹기에 달렸다는 것을 니체도 김연자도 우리도 알고 있다.

휴먼 코믹 감동 드라마
〈봉구는 배달 중〉

국가인권위원회의 인권영화 프로젝트 〈어떤 시선〉(2013)에 포함된 단편 〈봉구는 배달 중〉은 실버 택배기사 봉구(이영석)가 길에 혼자 남겨진 6살짜리 아이 행운(황재원)을 만나면서 벌어지는 일을 그린 귀여운 소동극이다. 영화에는 봉구가 겪는 다양한 노인 소외의 현실이 담겨 있다. 노인에 대한 사회적 편견과 배려 부족, 일자리 문제와 이동권 문제 등 일상에서 우리가 충분히 경험할 수 있는 에피소드를 녹여내는 방식으로 노인 인권 문제를 다룬다. 여기에 봉구와 행

총은 총을 부르고 꽃은 꽃을 부르고

운이라는, 사회적 약자인 노인과 아이의 만남을 통해 세대 간의 연결과 이해를 도모한다.

실버택배로 생계를 이어가는 봉구는 꿈에서 로 또 번호를 계시 받은 뒤 로또 가게로 향해 신중하게 번호 6개를 색칠한다. 마지막 번호 37을 칠하고 버스에 오르려는 순간, 길 맞은편에 유치원 가방을 메고 혼자 우두커니 서 있는 어린아이 행운을 본다. 봉구는 고민한다. 제때 버스를 타서 환승할인을 받을 것인가, 아이를 챙길 것인가. 그는 환승할인을 포기하고 아이에게 다가간다. 택배기사로서의 책임감을 발휘해 혹은 어른 된 도리로서 아이를 안전하게 목적지까지 안내하기로 한다. "할아비가 데려다 줄까?" 낯선 사람을 경계하던 아이는 할아버지 팔에 새겨진, 그러나 세월에 의해 지워지고 흐릿해져 초라해 보이기까지 하는 악어문신을 보고 마음의 문을 연다. 하지만 봉구와 행운 앞에는 여러 난관이 기다리고 있다. 급기야 행운이 유치원에 등원하지 않은 것을 알게 된 행운의 엄마는 경찰에 실종 신고를 하고, 주변 CCTV를 통해 봉구와 행운의 행적을 알게 된 경찰은 봉구를 유괴범으로 오인한다. 긴급 속보 뉴스를 접하고 상황을 파악한 봉구는 스스로 경찰서에 전화해 자초지종을 설명하지만 그의 횡설수설에 경찰은 그가 치매노인이 아닌지 의심한다.

　　〈밍크코트〉〈속물들〉 등을 공동 연출한 신아가, 이상철 감독은 〈봉구는 배달 중〉 또한 함께 머리를 맞대고 만들었다. 노인의 인권 문제라는 큰 주제가 정해진 뒤 두 감독은 자신들의 장기인 블랙코미디가 아니라 "전 연령대가 재밌게 볼 수 있는, 노인이 주인공인 휴먼 코믹 감동 드라마"를 만들기로 방향을 정했다. 소재를 발굴하는 과정이 쉽지만은 않았다. 고령에도 운전하는 할아버지 이야기, 폐지 줍는 할머니 이야기, 할아버지와 할머니의 로맨스("남자 주인공은 이대근"(신

　　　　　　　　　　총은 총을 부르고 꽃은 꽃을 부르고

아가)) 그리고 '태극기 부대' 할아버지와 좌파 청년의 만남처럼 가장 싫어하는 적과 친구가 되는 이야기(참고로 정확히 이런 설정을 다룬 영화로 김수현 감독의 〈우리 손자 베스트〉가 있다) 등 다양한 생각들이 모였다가 흩어졌다. 그러다 최종적으로 할아버지와 꼬마가 만나 벌어지는 하루 동안의 이야기가 완성됐다.

외면과 두려움,
우리가 마주하는 감정들

"노년이 된다는 건 늘 외면하고 싶은 문제였던 것 같다." 신아가 감독은 노화에 대한 솔직한 심정을 들려줬다. "반지하 작업실에서 시나리오를 쓰기 위해 공부하던 어느 새벽이었다. 그야말로 문득 '70대의 신아가'가 된 것 같은 느낌이 들었다. 언젠가는 나도 정말 늙겠지? 그때도 나를 둘러싼 상황이 지금과 같다면 어떨까? '그렇게 노인이 된다'는 걸 직시하니 알 수 없는 두려움과 공포가 밀려왔다. 어쩐지 이 이야기를 더 잘 써야겠다는 생각이 들었다." 노화를 외면하고 싶은 마음, 노화에 대한 두려움. 어쩌면 이것이 노인 문제를 대할 때의 우리의 본능적이고 본질적인 마음인지도 모른다고 신아가 감독은 말했다. 노화는 자연스러운 현상이다. 나이가 들면 자연히 신체 기능이 저하된다. 시력이 떨어지고 걸음이 느려지고 호르몬에도 변화가 생긴다. 질병에도 쉽게 노출되며 육체적 건강은 정신의 건강에도 영향을 미친다. 그것은 피할 수 없는 자연의 법칙이지만, 언젠가 세월의 변화와 그 속도를 따라가기 힘들어지는 순간이 오고야 만다는 사실은 우리를 두렵게 만든다. 육체적 쇠퇴와 함께 사회적으로 도태된다고 느끼기 때문일 것이다.

시몬 드 보부아르는 62세에 집필한 《노년: 나이듦의 의미와 그 위대함》이라는 책에서 노화에 대해 이렇게 말한다. "죽음의 동의어, 그것은 부동의 상태이다. 변화야말로 삶의 법칙이다. 노화란 변화의 한 유형이다. 불가항력적이며 불리한 변화, 그것을 우리는 노쇠라고 부르는 것이다." 불가항력적이며 불리한 변화 자체는 모든 개인이 겪는 문제일 수 있다. 중요한 것은 보부아르가 《노년》에서 주목한 바, 노인의 지위 혹은 운명을 결정하는 것이 사회라는 데 있다. "노인의 상황에서 가장 절망적인 것은, 노인들 자신이 능동적으로 그 상황을 수정할 수 없다는 사실이다. 타인들에 의해 결정된 자신의 운명을 수동적으로 받아들일 수밖에 없는 그들에게 있어 또 다른 불행은 내가 마음속으로 느끼는 '나'와 남들이 생각하는 '나'의 불일치에서 온다." 사회적으로 일정 연령이 되면 현업에서 은퇴를 하게 된다. 은퇴 후 경제력을 잃고 사회적 영향력마저 상실하게 되면 스스로의 능력과 사회가 판단하는 능력 사이의 괴리를 경험하게 된다. 여전히 일할 능력이 있다고 느끼는 나와 그것을 인정하지 않는 사회는 불화한다.

노인은 더 이상 소수가 아니다

의학의 발달로 평균 수명이 길어지면서 은퇴 이후의 노후 또한 덩달아 길어졌다. 오늘날 노후 대책과 노인 일자리 문제는 중요한 사회적 의제가 되었다. 연금에만 의존하기에는 버거워 은퇴 이후에도 일을 쉴 수 없는 사람들이 있고, 은퇴 이후에도 일을 통해 사회와 연결되어 있다는 기분 혹은 소속감을 느끼고 싶어 일을 계속하는 사람들도 있다. 〈봉구는 배달 중〉의 봉구 역시 실버택배로 생계를 꾸려 간다. 결혼해서 외국에 살고 있는 딸은 소식이 뜸하다. 독거노인 아닌 독거노인 신세다. 실버택배는 노인들을 고용해 택배 서비스를 제공하는 것을 말하는데, 65세 이상은 지하철 무임승차가 가능하다는 점을 이용해 지하철을 이용한 저렴한 택배 서비스가 생겨났다. 참고로 지하철 택배일을 하는 70세 여성이 범죄와 관련된 대포통장을 운반하다 벌어지는 일을 그린 단편영화 〈실버 택배〉도 실버택배라는 노인 일자리에 대한 디테일한 묘사를 보여준다. 〈봉구는 배달 중〉의 봉구는 지하철이 아닌 버스를 이용해 택배 배달을 하는데, 영화에는 노인들이 버스에서 불편을 겪을 수 있는 여러 상황이 등장한다. 우선 '30분 내 환승'을 해야 무료 환승이 가능한데 그 시간을 맞추기 위해 노인들은 부지런히 걸어야 한다. 영화 속 실버택배 회사에선 "5번 환승에 물건 4개 배달"을 목표로 하기 때문에 회사에서 제공하는 버스카드 충전 금액도 신경 써야 한다. 또한 글자를 읽지 못하거나 작은 글씨를 읽기 힘든 노인에겐 버스의 노선변경 안내문도 제대로 전달되기 힘들다. 봉구는 버스기사에게 노선변경 안내문을 뒷문에 붙여

총은 총을 부르고 꽃은 꽃을 부르고

놓기만 하고 "안내방송은 왜 해주지 않냐"고 퉁명스럽게 한 소리를 건넨다. 하지만 이미 내려야 할 곳을 놓친 뒤다. 심지어 버스에서 내릴 때 단말기에 카드를 제대로 대지 않아 "카드를 다시 대주세요"가 반복해서 울린다. 우리가 일상에서 자주 목격하는 풍경 중 하나다. 안내문을 제대로 확인하지 못한 노인, 내려야 할 곳을 놓치고 허둥대는 노인, 버스 카드를 단말기에 정확히 태그하지 못하는 노인…. 이 풍경의 젊은 목격자들은 아마도 속으로 노인의 속도를 답답해하며 비웃을지 모른다. 하지만 이러한 풍경은 아직 다가오지 않은 우리의 미래다. 그것은 유별난 것도 답답한 것도 아닌 자연스러운 것이다.

또한 영화에는 끝없이 이어진 가파른 계단 앞에서 식은땀을 흘리는 봉구의 모습이 나온다. 어린 행운은 힘차게 총총총 계단을 오르지만 관절이 성치 않은 봉구는 계단이 아닌 평지로 돌아가고 싶어 한다. 초고령사회가 코앞인 상황에서, 사회는 노인에게 보다 친절한 이동 환경과 도보 환경을 고민해야 한다. 결국 이것은 배려와 이해의 문제다. 성숙한 사회라면 노인을 비롯한 사회적 약자의 속도와 환경을 앞장서 고려해야 하지 않을까. 앞으로 노인 세대는 더 이상 소수가 아닐 것이다. 그에 대비한 인프라 구축과 정책 보완이 필요하다. 최근 서울교통공사의 누적적자가 심각한 상황에서, 지하철의 경로우대 무임승차 기준 연령을 현행 65세에서 상향하는 것을 고려해야 한다는 얘기가 나왔을 때에도 의견이 분분했다. 경로우대 무임승차 제도의 수정 필요성이 대두됐을 때 이것이 논의가 아닌 논란이 된 것은 왜일까. 65세 이상 노인의 지하철 무임승차 제도가 도입된 것은 1984년부터이니, 그간의 시대적 변화를 제도가 유연하게 반영하지 못한 측면도 있을 것이다. 안타까운 것은 이 사안이 '서울교통공사 대 노인' 혹은 '노인 대 비노인'의 대립 구도를 형성하면서 마치 지하철 경영 적자가 노인들의 무임승차 때문인 것처럼 비춰져 세대 갈등을 부추겼다는 점이다. 교통공사는 시민의 교통복지 증진을 위한 공기업으로서, 노인 무임승차제도를 도입한 배경에도 노인의 활동을 장려하는 차원의 공공복지 개념이 자리하고 있다. 이 같은 사안에서도 확인할 수 있듯, 최근 세대 갈등은 갈수록 심해지고 있다. 〈봉구는 배달 중〉이 만들어진 지 10년이 지났음에도 영화 속 노인의 현실과 지금의 현실에는 큰 차이가 없다. 신아가 감독은 말했다. "노인 인권 문제와 세대 갈등은 영화를 만들었던 때보다 더 심해지면 심해졌지 나아진 것 같지 않다. 지난 10년간 노년층이 주인공인 영화와 드라마가 꽤 만들어진 것은 고무적이지만, 세대 갈등은 확실히 심화되고 있다."

봉구를 괴롭히는 것은 누구인가?

이 영화에서 안타고니스트는 결국 사회다. 주인공 봉구를 괴롭히는 건 사람이 아니라 사회이며, 그가 맞서야 하는 건 노인을 불편한 존재로 여기는 사회의 인식이다. 사회는 노인들을 공경하면서 멸시한다. 그래서 어렵다. 봉구를 유괴범으로 오해한 행운 엄마에게만 사과를 받는다고 해결되는 문제가 아니기 때문이다. CCTV를 통해 비춰지는 봉구의 모습과 실제로 봉구가 보인 행동의 맥락에는 큰 차이가 있다. 봉구의 선의는 CCTV로는 확인되지 않는다. 실재와 비춰지는 것의 차이. 앞서 언급한 것처럼 내가 생각하는 나와 남들이 생각하는 나의 불일치는 노년이 될수록 심해진다. 그런 인식이 쌓이고 쌓이면 노인에 대한 편견과 차별과 소외로 이어지기 십상이다.

영화에선 세대 간의 오해와 갈등을 해결하는 인물로 어린 세대인 행운을 내세운다. 6살 소년 행운은 사회적 편견으로부터 자유로운 나이다. 행운이 봉구의 악어 문신을 보고 그에게 마음을 연 이유도 단순하다. 그날 행운이 유치원 버스에 오르지 않은 건 아빠와 함께 동물원에 악어를 보러 가기로 약속했기 때문이다. 이혼한 부모는 생활이 바빠서인지 그 사실을 잊었지만, 결국 봉구로 인해 행운의 가족은 동물원 나들이를 가게 된다. 봉구 역시 행운 덕에 미국에 있는 딸을 만나러 가게 된다. 봉구는 미국에 사는 딸이 자신에게 연락을 하지 않는 것을 섭섭해 한다. 실상은 그렇지 않다. 딸은 봉구에게 꾸준히 문자 메시지를 보냈다. 하지만 봉구는 글을 읽을 줄 모르는 데다 스마트폰을 사용하는 데도 서툴다. 봉구는 행운에게 말한다. "난 글을 몰라. 공부를 안 했어. 너 보릿고개가 뭔지 알아?" '관절'이 뭔지도 모르는 6살짜리가 보릿고개를 알 리 없다. '라떼는'의 화법으로도 '보릿고개'는 멀고 먼 과거다. 스마트폰이 없던 시절, 인터넷이 없던 시절, 내비게이션이 없던 시절도 아니고 "아이야 뛰지 마라 배 꺼질라"(진성의 〈보릿고개〉 가사)던 보릿고개 시절이라니. 그 시절엔 먹고사는 문제가 중요했지 교육이 시급하지 않았다. 하지만 세월은 변했다. 문맹률이 현저히 낮은 사회에서 글을 모른다는 건 부끄러운 일이 되어버렸고, 글을 모른다는 걸 고백하는 일에도 용기가 필요하게 되었다. 뒤늦게 한글공부를 하는 할머니들의 이야기는 다큐멘터리 〈칠곡 가시나들〉에서도 만날 수 있다. 〈칠곡 가시나들〉은 경상북도 칠곡에 사는 평균나이 86세의 일곱 할머니들이 뒤늦게 한글을 배우는 과정에서 느끼는 행복과 즐거움을 보여준다. 할머니들은 우리의 말과 글이 탄압받던 1930년대

일제강점기에 태어났다. 더불어 그 시대 다수의 여성은 교육에서 소외되었다. 자신의 이름조차 쓰는 법을 몰랐던 할머니들은 뒤늦게 한글을 배워 자신의 이름을 삐뚤빼뚤 써내려간다. 쓸 수 있는 글자가 많아질수록 못 배운 설움도 훨훨 날아간다. 그렇게 시도 쓰고, 일기도 쓰고, 시집(《시가 뭐고?》)도 출간한 할머니들은 영화의 주인공도 되었다.

노인을 위한 나라가 사라지고 있다

디지털 소외 또한 심각한 문제다. 봉구는 스마트폰 문자 메시지를 어떻게 확인하는지, 또 어떻게 보내는지 알지 못한다. "나에게 스마트폰은 너무 어렵다." 봉구의 내레이션처럼, 디지털 기기를 다루는 데 익숙지 못한 고령층이 늘어나고 있다. 일상의 많은 업무가 디지털로 대체될수록 디지털 문화에 취약한 이들이 일상에서 겪는 어려움도 커지고 있다. 은행업무가 인터넷뱅킹과 모바일 뱅킹으로 빠르게 대체되고 있어, 은행들은 지점을 줄이고 대면 서비스를 축소하는 방향으로 가려 한다. 극장이나 식당 등 키오스크로 주문을 받는 곳도 늘어나고 있다. 키오스크와 쌍방향 소통하며 결제할 수는 없다. 키오스크의 일방적 안내를 전적으로 따라야 하는 상황에서 화면을 잘못 터치하기라도 하면 등 뒤로 줄 선 사람들의 눈치까지 감내해야 한다. 기차와 버스표 예매도 대부분 온라인 예매로 이루어져 명절처럼 예매 전쟁을 벌이는 시기엔 온라인 예매가 익숙지 않은 사람들이 표 구하기가 어려워졌다. 현금을 받지 않는 버스나 커피숍도 늘어나 카드보다 현금 사용이 편한 사람들, 카드 발급이 어려운 사람들은 당혹감을 넘어 불편을 느끼게 된다. 이처럼 누군가에겐 일상의 곳곳이 난관인 셈이다. 코엔 형제의 영화 제목처럼 노인을 위한 나라가 사라지고 있다.

스마트폰을 손에서 놓을 줄 모르는 세대와 스마트폰 사용이 어려운 세대 간 격차는 점점 더 벌어질 것이다. 이 말은 곧 서로가 보고 느끼고 경험하는 세계가 달라진다는 뜻이다. 서로가 경험하는 세계가 달라지면 세상을 이해하는 법 또한 달라질 것이다. 고령층을 대상으로 한 디지털 교육이 중요한 이유다. 영화에서 봉구에게 문자 메시지 확인하는 법을 알려주는 건 행운이다. 행운은 봉구에게 차근차근 어떻게 화면의 버튼을 누르면 되는지 알려준다. 행운을 통해 딸의 동영상 메시지를 확인하게 된 봉구는 멀어진 가족 간의 거리를 다시 좁힐 수 있게 된다. 신아가 감독은 "노인을 위한 나라는 없다"를 조금 비틀어 이 땅에 "노인을 위한 행운은 없다"는 것도 보여주려 했다고 한다. 그럼에도 봉구를 위한 행운은 있다. 로또 당첨과 행운이라는 아이와의 만남이 그것이다. 물론 완벽한 행운을 손에 쥐어주는 대신 자그마한 희망을 쥐어주는 것으로 영화는 지나친 판타지를 경계한다. 그러니까 로또의 37번 칸에 색칠을 하려던 순간, 봉구는 흐릿한 시야와 손 떨림으로 인해 37이 아닌 36에 표시를 하고 만다. 1등이 순식간에 3등이 되는 순간이다. 하지

　　총은 총을 부르고 꽃은 꽃을 부르고

만 3등 당첨금으로 봉구는 미국행 비행기표를 살 수 있게 됐다. 봉구에게는 행운이라는 새로운 친구가 생겼고, 가족을 만나러 간다는 새로운 목표가 생겼다. 존재의 이유를 찾지 못할 때, 과거에 메여 있거나 미래의 계획이 전무할 때 노화는 가속된다. 신체의 노화보다 무서운 것은 어쩌면 정신의 노화다. 다시 한번 시몬 드 보부아르의 《노년》을 인용해보자. "우리는 나이가 상당히 들어서까지도 강렬한 열정들을 오래 보존하기를 바라야 한다. (…) 사랑을 통하여, 우정을 통하여, 분노를 통하여, 연민을 통하여 우리는 다른 사람들의 삶에 가치를 부여하며, 그 덕분에 삶은 가치를 보존하는 것이다. 그래야만, 행동하는 이유, 또는 말해야 하는 이유가 남아 있게 되는 것이다." 그러니 봉구의 절절한 외침은 틀리지 않았다. "아버지, 저 아직 팔팔합니다!" 백세시대, '나이는 숫자 마음이 진짜'인 시대다. 그러니 우리 모두 아모르 파티!

이주현

〈4등〉

(4th place, 2014, 119분, 15세 이상 관람가)

감독: 정지우

장르: 드라마

5장

누구도
자신의 희망이 되어달라고
강요할 수 없다

"당신은   성적을 위해
어디까지
희생할 수 있나요?"

정지우 감독 주요 필모그래피

〈썸바디〉(2022) 〈유열의 음악앨범〉(2019) 〈침묵〉(2017)
〈남극의 여름〉(2016) 〈4등〉(2014) 〈은교〉(2012) 〈모던보
이〉(2008) 〈다섯 개의 시선〉 중 〈배낭을 멘 소년〉(2005)
〈사랑니〉(2005) 〈해피엔드〉(1999) 〈생강〉(1996) 〈사로〉
(1994)

성적 중심의 결과 속에서
개인의 행복과 안녕은 어떤 의미를 갖는가

주인공이 운동선수인데, 영화 제목이 '4등'이다. 결승전, 혹은 준결승전에 올랐지만 메달은 받을 수 없는 순위다. 그 정도 성적도 최고 수준이라는 말은 경기장 안에 들어서지 않은 사람만이 할 수 있는 것이 아닐까. 승자만이 기억되는 스포츠에서, 2등도 '우승이 아니다'라는 결과를 받아들여야 하는 스포츠에서, 메달권 밖인 4등은 아무리 '아슬아슬'한 성적이라 해도 실망을 안긴다.

"안녕하십니까, 여러분. 오늘은 분명히 박세리의 날이었습니다. 어딜 가나 온통 박세리 얘기뿐이었습니다." 〈4등〉은 뉴스 화면으로 시작한다. '박세리의 세계 제패'를 기념하는 뉴스 화면에서 카메라가 서서히 물러나면, 포장마차에서 술잔을 기울이며 TV 속 박세리 우승 뉴스를 보는 남자 둘의 모습이 보인다. 1998 아시아 수영 선수권 대회 3주 전. 장소는 태릉 선수촌 부근이다. 한 남자가 말한다. "86 아시안 게임 영웅!" "영웅은 무슨. 4등 했는데 무슨 영웅이야." 술에 반쯤

취한 둘의 흥겨운 대화가 그렇게 이어지는데, 포장마차의 천을 걷고 광수가 들어선다. 술을 마시던 남자가 묻는다. "광수, 너 아직도 밤마실 다녀?" 광수는 그들과 술을 마시는데, 이튿날 광수는 비공식이지만 한국 기록을 세운다. 이후 아시아 기록도 세운다. 그리고 방콕 아시안 게임 3주 전, 국가대표 소집 1일 전. 고향에 들렀던 광수는 동네 사람들의 도박판에 끼게 된다. 훈련에서 무단이탈하고 그렇게 11일이 흐른다. 뒤늦게 훈련소에 돌아가지만 과도한 체벌을 받게 된다. 광수는 코치의 과잉체벌을 기자에게 제보한다. 여기까지 23분 정도를, 〈4등〉은 흑백 화면으로 보여준다. 과거의 회상이다. 컬러 화면은 바로 광수의 현재 얼굴로 이어진다. 16년이 흘렀다.

총은 총을 부르고 꽃은 꽃을 부르고

1등만 하다가 경기력 외의 이유로 운동을 그만두게 된 광수의 이야기로 영화는 시작된다. 제목과는 거리가 멀어 보이지만, 이제 현재 시점에서 또 다른 주인공이 등장한다. 어린 준호는 수영선수다. 경기만 하면 4등이다. 준호는 경기가 끝날 때마다 엄마에게 한소리 듣는다. 준호의 아빠는 수영을 취미로 하는 정도로 족하다고 생각하지만, 수영으로 메달을 따 대학 진학까지 성공시키려는 엄마는 준호를 닦달한다. 준호를 "야, 4등!"이라고 혼내는 엄마는 메달을 따게 해준다는 코치에게 준호를 데려간다. 이 코치가 바로 광수다. 광수는 준호 엄마에게 다짐을 받아낸다. 아들 훈련에 절대로 개입하지 않겠다고. 그 '절대로'에 체벌이 포함된다는 사실이 곧 밝혀지지만.

〈4등〉은 여러 겹의 이야기다. 일단 한때 유망주였던 광수와 4등 전문인 어린이 수영선수 준호는 이야기의 축을 나누는 큰 기둥이 된다. 천부적인 재능을 타고 나서 오만하기까지 했던 광수가 수영선수로서 겪었던 문제는 준호가 겪는 문제와는 다르다. 광수는 자신이 체벌을 당할 때는 부조리함을 느끼고 기자에게 제보까지 했지만, 이제 코치 입장에 서게 되자 훈련의 '능률'을 이유로 준호를 닦달해 몰아세우고 체벌을 서슴지 않는다. 준호는 놀려고 수영을 시작했지만, 수영이 입시에 미치는 영향을 신경 쓰는 엄마에게 '즐거움'은 추구할 만한 가치가 아니다. 준호의 엄마는 코치가 자녀를 체벌한다는 사실에 눈감고 성적을 올렸으면 하고 바란다. 여기에서부터는 엘리트 스포츠 교육의 문제가 끼어든다. 결과가 좋으면 다 좋은가? 성적이 다른 모든 가치를 압도하는 상황에서 개인의 행복과 안녕은 어떤 의미를 갖는가. 한국에서는 비단 엘리트 스포츠 교육에서만 차별이 문제되는 것은 아니다. 입시 경쟁이 과열된 이곳에서, 성적을 올릴 수 있다면 무엇과도 바꿀 수 있다는 각오가 된 이들을 찾기란 어렵지 않다. 〈펜트하우스〉 같은 드라마의 인기가 보여주는 현실이 그렇다. 〈4등〉의 딜레마는 준호가 광수와 훈련하고 얼마 되지 않아 생애 처음으로 '거의 1등'인 은메달을 딴다는 데 있다. 준호를 제자로 받은 광수는 PC방에서 게임을 하다가 준호의 항의를 받고 그때부터 몸에 멍이 들 정도로 체벌하며 수영 훈련을 시킨 것이다. 메달 순위권 밖인 4등만 하던 준호가 은메달을 땄을 때, 폭력이 동반된 가혹했던

총은 총을 부르고 꽃은 꽃을 부르고

훈련 과정은 어떻게 평가받을까?

한번 밀리면 절대 역전할 수 없다는
불안과 공포

정지우 감독은 〈씨네21〉에 실린 인터뷰에서 체벌에 대해 이런 이야기를 한 적이 있다. "한국 사회 특유의 조급함도 있다. 한번 밀리면 절대 역전할 수 없다는 불안과 공포가 있다. 어린 광수는 뛰어난 재능이 있었다. 그런 재능의 이면에는 게으름이 있고 주로 원인은 권태다. 뒤가 다 보이니까 지루한 거다. 이 시점에 큰 재능이 지치거나 질리지 않고 탐구할 영역을 열어주는 것이 좋은 교육이다. 그런데 단기 승부에 써먹을 수 있는 부분에만 교육이 집중되면 뛰어난 사람들은 게을러진다. 영화를 위한 취재 과정에서 만난 많은 재능 있는 운동선수들을 주변인들이 그렇게 대했다."

운동선수만의 문제는 아니다. 정지우 감독 자신이 학부모이기도 하기 때문에 준호 엄마와 같은 고민을 하고 있다고 털어놓기도 했다. "영화 속 학부모 중 하나가 나이고, 그들이 가진 자식에 대한 불안감이 바로 내 마음"이라며, "이 영화는 부모로서 나의 고백과 자백 같은 게 담겨 있다"고 말했다. 〈4등〉을 시작하는 단계에 영감이 된 작품도 있다. 바스티앙 비베스의 그래픽 노블 〈염소의 맛〉이다. 물속을 묘사한 그림이 아름답기로 유명해 수영을 좋아하는 이들 사이에서는 유명한 작품이다. 평소에 〈염소의 맛〉에 나오는 그림 같은 장면을 만들고 싶은 바람이 있었다는 것이다. "스포츠 인권이라는 주제와 맞물리면서, 기록이 나오지 않아 물속에서 우는 사람 이미지에서 출발하게 됐다. 이미지가 짠하지 않나." 정지우 감독은 취재를 진행하면서 만난 학부모가 가진 조바심에 대해서도 언

총은 총을 부르고 꽃은 꽃을 부르고

급했다. "지금 부모로서 최선을 다하지 않아 나중에 아이들이 나를 원망하면 어떻게 하나 하는 마음" 때문에 아이가 가능성을 펼칠 수 있는 동안 최선을 다해 서포트하려는 마음 말이다. 이러한 고민은 시대를 초월해 학부모들의 마음을 쥐락펴락하는 성질의 것이라서, 〈4등〉은 개봉하고 3년이 지나서도 꾸준히 관객과의 대화 행사가 진행될 정도로 화제성을 지녔다.

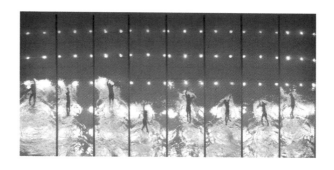

정지우 감독은 〈4등〉의 시나리오를 쓰면서 운동선수뿐 아니라 학부모들도 많이 만났다. "수영장에서 수십여 명의 학부모들이 짝을 지은 채 아이가 레슨 받는 모습을 지켜보거나, 시합 때 도시락을 싸들고 와 아이를 지켜보는 마음은 다 비슷했다. 혹여 아이들이

다치지 않을까 조마조마해하고. 학부모들은 자신이 무너지면 아이가 무너진다고 생각한다. 영화에서 준호(유재상)가 수영을 그만두겠다고 말하자 준호 엄마가 "엄마가 너보다 더 열심히 했는데 네가 무슨 권리로 수영을 그만둬"라고 말하는데, 말도 안 되는 논리이지 않나. 아무리 꼬마라도 자신의 인생을 스스로 결정할 수 있는 권리가 있는데 말이다. 그럼에도 준호의 부모는 자신의 인생을 아이에게 쏟아 부었기에 아이의 문제가 곧 자신의 문제라고 생각한다."

승리는 그럴 만한 가치가 있었나?

〈4등〉을 '자녀 교육'의 관점에서 볼 것인가, 엘리트 스포츠의 과도한 '성과주의'의 관점에서 볼 것인가, '재능과 노력의 상관관계'의 관점에서 볼 것인가에 따라 영화를 본 뒤의 논의는 여러 갈래로 나뉠 수밖에 없다. 그래서 〈4등〉과 나란히 놓고 생각해볼 영화들로는 서로 다른 성격의 몇 편이 있다. 그 중 하나는 〈위플래쉬〉다. 혹시 이런 생각을 해본 적이 있는지? 재능을 만개할 수 있다면 악마에게 영혼을 팔 수도 있다고. 〈4등〉의 주인공이 고등학생 시절의 광수였다면, 광수가 1등이 아니었지만 1등도 할 수 있는 재목이었다면, 그리고 그에게 혹독한 훈련을 통해 기록적인 성적을 낼 수 있게 하는 코치가 있었다면 어땠을까. 〈위플래쉬〉는 일류 재즈 드러머가 되려는 앤드류를 주인공으로 한다. 앤드류는 운 좋게 뉴욕 최고라는 스튜디오 밴드에 들어가게 되는데, 밴드를 지도하는 선생 플레처는 악마 같은 집요함과 잔혹함으로 학생들을 몰아붙인다. 밴드에 들어왔다는 사실 자체가 그들의 재능을 입증하지만, 그것으로는 불충분하다. 최고만이 살아남을 수 있기 때문이다.

흥미로운 점은, 한국 개봉 당시 많은 관객들의 사랑을 받은 〈위플래쉬〉는 긍정적인 면으로 해석되는 일이 적지 않았다는 데 있다. 가혹한 교육 방식에 저항하기보다 결국 학생의 한계를 뛰어넘게 한다는 점에 주목한 경우다. '결과가 좋으면 다 좋다'는 사고방식 말이다. 〈4등〉의 경우로 되돌아가보자. 만일 광수가 아니었다면, 광수의 교육 방식이 아니었다면 준호는 은메달을 딸 수 있었을까? 알 수 없다. 하지만 훈련 방식과 코치를 바꾼 뒤 성적이 유의미하게 상승했다는 사실을 무시하기도 쉽지 않다. 학부모의 딜레마. 성적이 좋아지는 한 과정을 무시한다면 어떤 일이 벌어질까? 〈4등〉에서 준호의 상황을 가볍게 넘길 수 없는 이유는 실제 상황과 닮아있기 때문이다.

스포츠계의 폭력 문제는 해묵은 악습이다. 조재범 전 쇼트트랙 국가대표 코치가 선수들을 폭행했을 뿐 아니라 성폭행했다는 고발이 이어진 뒤, 체육계는 스포츠혁신위원회를 출범시켰다. 하지만 고발은 이어졌다. 차예뜰 코치가 피겨를 배우는 초등학생 제자들에게 수시로 욕설을 하고 스케이트 날집으로 때렸다고 보도되었다. 이규현 전 피겨스케이팅 코치 또한 미성년자 제자 강간 미수로 징역 4년이 선고되었다. 빙상계의 사례를 주로 소개했지만 빙상계만의 문제는 아니다. 선수들 사이의 '군기잡기'도 문제가 된다. 프로야구 SSG 랜더스 구단에서는 후배 선수들을 방망이로 때린 점을 들어 투수 이원준을 퇴단 조치하고, 다른 두 명의 선수도 징계 절차를 밟았다. 겉으로 드러난 것만 해도 이렇다. 넷플릭스 다큐멘터리 〈우리는 영원히 어리지 않다〉에서는 미국 국가대표 체조 선수들이 겪은 성범죄를 다루었다. 전미체조협회에서 벌어진 성폭력 사건을 다룬 이 작품은, 국가대표 선수들을 전담한 래리 내서라는 팀 닥터와 관련한 사건을 그린다. 가혹한 훈련을 딛고 메달을 따는 선수들의 치료 과정에 개입했던 래리 내서의 성폭력은 20여 년간 은밀하게 이어졌다. 피해 당시 십대의 나이였던 선수들은 성인이 되어 자신이 겪은 일을 고발했다. 재판 당시 피해를 증언한 카일 스티븐스의 "어린 여자아이들은 영원히 어리지 않다. 강력한 여성으로 변해 당신의 세계를 박살내려 돌아온다"라는 말은 미투 운동 과정에서 자주 회자되었다. 2018년 1월, 래리 내서는 최장 175년의 징역형을 선고받았다. 이 사건을 다룬 〈우리는 영원히 어리지 않다〉의 영어 포스터에 적힌 카피는 이렇다. "승리는 그럴 만한 가치가 있었나?(Was winning worth the cost?)"

〈4등〉은 이러한 현실적인 문제를 떠올리게 하는 상황을 영화 속에 펼쳐낸다. 그러면서도 광수 역시 과거 체벌의 피해를 입었음을 알림으로서 '폭력이 폭력을 낳는' 문제를 드러낸다. 그런데 인물 설정이 다소 특이하다. 영화평론가 듀나는 비평문에서 광수를 이렇게 설명했다. "체벌 금지라는 원칙에 대해 이야기하면서 가장 폭력성을 유발하는 인물을 고른 것이다. 이는 시작부터 영화에 엄청난 긴장감을 불어넣는다. 다른 하나는 그 과정이 성인 광수라는 입체적인 인물을 낳는다는 것이다. 그는 위에서 말한 두 개의 카테고리 중 어디에도 속하지 않는다. 그는 생각 없이 흐름에 휩쓸린 인물이 아니다. 그릇되고 어리석지만 주체적인 길을 걷는 인물이다. 그가 제자들에게 가하는 폭력은 한심했던 젊은 시절 자신에게 가하는 상징적인 처벌로, 이는 탐구할 만한 가치가 있는 복잡한 행동이다." 광수라는 캐릭터는 〈4등〉을 복합적인 이야기로 받아들이게 만든다. 그는 좋은 코치인가? 우리는 광수라는 인물을 어디까지 이해하고 어디까지 받아들여야 할까?

총은 총을 부르고 꽃은 꽃을 부르고

학습과 운동이 양립할 수 없는 구조

엘리트 스포츠 교육이 중심이 되었을 때 발생하는 또 하나의 문제는 스포츠로 진로를 삼은 선수들이 학교생활에서 사실상 유리된다는 점이다. 한국 스포츠 인권의 거의 모든 것을 다룬 김현수의《인권과 스포츠》라는 책은 스포츠 폭력 사건들을 다루는 동시에 학생들이 수업에 참여하지 못하는 현상이 자연스러운 한국의 풍토를 비판한다. "스포츠의 성과가 오랜 시간 최고 강도의 훈련을 감내한 선수만이 누리는 특권으로 인식되면서 학생선수의 학습권 보호는 '운동을 모르는 소리'로 치부된 것이다. 그 결과 어린 시절부터 운동선수를 꿈꾸는 이들에게 학습은 운동과 양립할 수 없는 영역으로 인식되고 말았고, 합숙을 하는 운동부 생활 중 과도하게 긴 훈련 시간이 절대적인 학습 시간 부족의 원인이 되었다. 이는 최근 성장기에 있는 학생선수의 적절한 휴식권 보장문제와도 연관돼 있어 문제가 더 커지는 중이다."

최승연 감독의 극영화〈스프린터〉는 제각기 다른 등수에서 저마다의 이유로 고민하는 선수들을 내

세운다. 이 영화의 주인공은 세 명이다. 100m 단거리 달리기 국가대표 선발전에 참여하는 선수들이다. 현수는 다른 선수들보다 열 살 넘게 나이가 많다. 달리기를 포기하지 못해 여전히 트랙에 선다. 한때는 한국 최고의 스프린터로 평가받았지만 이제는 아무리 노력해도 4위에서 더 올라서지 못한다. 훈련도 혼자 동네 운동장에서 한다. 트랙을 사용하는 문제로 관리인과 마찰을 빚기도 한다. 또 다른 주인공 준서는 고등학교 3학년이며 유망주다. 유망주라고는 해도 뚜렷한 성과가 나오지 않는 상황에서, 코치만 믿고 운동을 계속할 뿐이다. 학교에서 육상부를 없애는 조건으로 계약직 코치인 지완에게 정규직 체육교사 자리를 제안하자, 그간 준서에게 열심을 강조하던 지완은 지도에 소홀해진다. 준서의 성적이 나오지 않아야 자신이 양심의 가책 없이 육상부를 해체하고 정규직 자리를 얻을 수 있어서다. 현수와 준서가 충분히 좋지 못한 성적으로 고민한다면, 1위는 어떨까. 언제나 1위를 지켜온 정호가 마지막 주인공이다. 정호는 치고 올라오는 후배 선수들을 보며 위기감을 느끼는 중이다. 지금은 1위지만 언제까지 자리를 지킬지 알 수 없다. 결국 정

총은 총을 부르고 꽃은 꽃을 부르고

호는 해서는 안 될 선택을 한다. 금지된 약물에 손을 뻗는 것이다. 관람석에 앉은 사람에게는 그저 순위로 기억될 뿐인 선수들은 저마다의 자리에서 치열하게 싸우고 있다. 계속 달릴 자격은 성적이 뒷받침해주지 않으면 거저 주어지지 않는다.

당신은 성적을 위해서라면
어디까지 희생할 수 있나요

2023 항저우 아시안게임 양궁 컴파운드 종목에서 은메달을 딴 주재훈 선수는 한국 스포츠계의 이단아다. 한국 대표선수 중에서는 이례적으로 '직장인 궁사'이기 때문이다. 경북 울진에 사는 그는 집 근처의 빈 축사에서 매일 혼자 활을 쐈다. 서른두 살의 평범한 직장인, 두 아이의 아빠. 전문 교육이라고는 받아본 적이 없는 동호회 출신인 그가 여섯 번 도전한 끝에 2022년에 국가 대표가 되었다. 취미로 시작한 운동이 메달로까지 이어진 희귀한 사례의 주인공이 된 것이다. 이 사례는 한국에서 특히 보기 드물기 때문에 (양궁뿐 아니라 어떤 종목이든 20대에 시작하면 '늦는다'는 말

을 듣는데 이는 취미로나 즐기라는 뜻이다) 뉴스에서도 인상적으로 자주 언급되었다. 모두가 당연하다고 생각했던 엘리트 스포츠의 외길만이 해답이 아닐 수도 있겠다는 생각이 들게 된 계기였다.

하지만 현실로 눈을 돌리면 특이한 한 명의 사례만으로 해피엔딩이 찾아오지는 않는다. 〈4등〉에서 준호가 더 이상 맞기 싫다며 수영을 그만두겠다고 할 때, 준호의 엄마는 악을 쓰고 "나쁜 새끼"라며 준호를 손닿는 대로 두들겨 팬다. 광수는 코치 자리에서 잘리고, 준호 엄마는 광수를 찾아가 "우리 준호 다시 수영하게 하란 말이야!"라고 오열한다. "우리 준호 다시 가르쳐주면 안 되니?"라고. 준호는 동생이 선수용 물안경을 몰래 가져다가 욕조에서 끼고 놀았다는 사실을

총은 총을 부르고 꽃은 꽃을 부르고

알고 나서는 긴 자를 가져다가 "몇 대 맞을래?"라고 묻고 동생을 때린다. 대체 이 이야기는 어디로 갈까.

준호는 맞기 싫다고 수영을 그만두고도 수영을 여전히 좋아한다. 아무도 없는 밤의 수영장에 몰래 가서 수영을 한다. 물속에서 유영하는 준호는 온전히 자유롭고 즐겁고 행복해 보인다. 이 이야기는 어떻게 끝맺어야 할까. 〈4등〉의 마지막 순간을 숨죽여 따라가는 일은, 괴롭고도 행복하다. 준호는 자신의 마음속에 있던 질문을 끄집어낸다. 준호의 엄마는 외면하던 질문을 정면으로 맞닥뜨리고 대답해야 한다. 당신이라면 뭐라고 묻고 뭐라고 대답하겠는가. 좋아하는 수영을 계속하기 위해서 잘해야 한다는 사실을 준호는 마침내 분명히 깨닫는다. 하지만 모두가 각성만 하면 1위를 할 수 있는, 좋아하는 마음과 뛰어난 실력을 동시에 갖추고 있는 것은 아니다. 영화의 근사한 엔딩 뒤로, 현실을 살아가는 이들의 어깨 뒤로, 묵직한 질문은 끝내 따라붙는다. 당신은 성적을 위해서라면 어디까지 희생할 수 있나요.

이다혜

⟨하늘의 황금마차⟩

(Golden chariot in the sky, 2014, 83분, 12세 이상 관람가)

감독: 오멸

장르: 드라마

6장

미우나 고우나
곁엔
사람들이 있다

"아름다운 죽음에 대한

힌트"

오멸 감독 주요 필모그래피

⟨파미르⟩(2023) ⟨눈꺼풀⟩(2016) ⟨인어전설⟩(2016) ⟨하늘
의 황금마차⟩(2013) ⟨지슬-끝나지 않은 세월2⟩(2012) ⟨이
어도⟩(2011) ⟨뽕똘⟩(2009) ⟨어이그, 저 귓것⟩(2009)

존엄한 죽음에 대하여

어느 날 엄마가 물었다. 연명 치료 거부 신청서를 작성하려는데 어디서 하면 되느냐고. 그건 왜? 갑자기 왜 그런 생각을 했어? 묻고 싶은 말은 많았지만 가만히 인터넷을 뒤적여 가까운 신청 기관의 이름을 불러준다. 자신의 죽음을 대비하는 부모의 말을 들은 딸의 마음은 묘하게 요동친다. 언젠가 우리는 모두 이별한다는 것을 알면서도 서로의 체온을 느끼는 한 그 순간이 오지 않기를, 충분히 늦게 당도하기를 바라게 된다.

2018년 2월 연명의료결정제도가 시행된 이후 사전연명의료의향서 작성자 수는 빠르게 늘어 2023년 10월 11일 기준으로 그 수가 200만 명을 넘었다. 19세 이상이면 누구나 작성할 수 있는 사전연명의료의향서는 향후 임종과정의 환자가 되었을 때를 대비해 연명의료 중단이나 호스피스에 관한 의사를 본인이 직접 문서로 남기는 것을 말한다. '찾기 쉬운 생활법령 정보' 홈페이지 내 '연명의료결정제도의 의미와 도입배경'을 보면 다음과 같은 설명이 나온다.

"의료기술 등의 발달은 건강 증진뿐 아니라 생명을 유지시킬 수 있는 의술을 다양하게 발전시켰고, 일부 의학 기술은 사람을 치료하는 데 쓰이기도 하지만 때로는 환자를 회복시키지는 못한 채 죽음에 이르는 과정만을 연장시키는 기술로 사용되기도 합니다. 때문에 각국은 이미 70년대부터 삶의 마지막에서 어떻게 인간의 존엄성을 보장할지에 대해 안락사, 존엄사, 연명의료 중단 등에 의한 사망과 관련하여 고민하고, 이를 법률 등으로 제도화하기 시작하였습니다." 한국은 안락사(安樂死, euthanasia)와 존엄사(尊嚴死, death with dignity)를 법적으로 허락하고 있지 않지만, '죽음에 이르는 과정이 어떻게 하면 존엄할 수 있을지'에 대한 사회적 논의는 전보다 훨씬 활발해지고 있다.

이는 사회의 고령화와 무관하지 않다. 2023년 9월 26일 통계청이 발표한 '2023 고령자 통계'에 따르면 65세 이상 고령인구는 전체 인구의 18%를 넘었고, 2년 뒤인 2025년엔 고령인구 비중이 20%에 달해 초고령사회에 진입할 것으로 예상된다고 한다. 사회가 고령화됨에 따라 행복한 노년의 삶, 존엄한 죽음에 대한 관심 또한 커지고 있다. 행복한 죽음이라는 뜻을 지닌 '웰다잉'(well-dying)이라는 말도 유행처럼 사용되고 있다. 한때는 너도나도 웰빙을 얘기했다면 이제는 너도나도 웰다잉을 얘기한다. 초고령사회로의 진입을 앞두고 있는 지금, 잘 사는 것만큼 잘 죽는 것이 중요해졌다.

아름다운 죽음에 대한 힌트,
〈하늘의 황금마차〉

죽음은 피할 수 없다. 그렇다면 어떻게 죽음을 맞이할 것인가. 어떠한 죽음이 존엄한 죽음이고 아름다운 죽음일까. 행복한 이별과 아름다운 이별이란 무엇일까. 어쩌면 오멸 감독의 〈하늘의 황금마차〉(2014)에서 약간의 힌트를 얻을 수 있을지도 모르겠다. 죽음을 앞둔 큰형과 철없는 동생들의 로드무비로 요약할 수 있는 〈하늘의 황금마차〉는 흥겨운 스카뮤직으로 시작한다. 오프닝에서 길게 이어지는 여유로운 박자와 사운드는, 죽음이라는 주제를 다룸에도 불구하고 이 영화가 밝고 건강한 기운을 견지할 것이라고 예고하는 듯하다. 오랜 기간 소원하게 지낸 네 명의 형제가 있다. 무능력하고 무책임한 막내 뽕똘(이경준)은 동네 동생들을 모아 밴드를 결성, 매니저를 자처한다. 밴드를 하겠다고 모인 청년들의 면면도 뽕똘과 크게 다르지 않아 보인다. 어딘가 헐렁한 느낌을 주는 사람들. 그들은 밴드 '하늘의 황금마차' 단원으로 모여 합주를 시작한다. 합주에서 드러난 건 이들에게 시급한 게 팀워크라는 사실. 밴드는 팀워크를 다지기 위해 여행을 떠나기로 한다. 다시 네 형제의 이야기로 돌아오면, 젊은 시절 노름에 빠져 집안의 돈을 날려 먹은 둘째형(김동호)이 어쩐 일인지 막내동생 뽕똘을 찾아온다. 돈이 필요한 두 형제는 오랫동안 연락하지 않고 지낸 큰형을 찾아간다. 한때 동생들을 무섭게 다잡았던 큰형은 이제는 스스로 먹고 씻고 입지도 못하는 사람이 되었다. 간암 말기에 치매 증상까지 앓고 있는 큰형을 돌보는 건 셋째(양정원)다. 술이 없으면 못 사는 알코올중독 셋째는 큰형에게 매일같이 집문서를 어디에 뒀는지 물어본다. 평균 연령이 반백 살쯤 되는 세 형제는 큰형의 집이 마치 자기 집이라도 되는 것처럼 제몫을 주장한다. 살날이 얼마 남지 않았음을 직감한 큰형은 동생들의 싸움을 지켜보다 불쑥 한마디를

던진다. "같이 여행가는 놈한테 이 집 주마!"

불편함을 유쾌하게 풀어보면 어떨까?

꾸준히 제주에서 영화와 연극 등 창작 작업을 이어온 오멸 감독은 제주 4.3 사건을 다룬 〈지슬〉 (2013)로 국내외 영화제, 평단과 관객의 찬사를 동시에 받으며 주목받았다. 〈지슬〉은 하루아침에 비극적 역사의 소용돌이에 휘말리게 된 보통 사람들의 이야기를 담고 있다. 〈지슬〉 개봉 즈음 그는 국가인권위원회로부터 인권영화 제작을 제안받아 〈하늘의 황금마차〉를 만들게 되었는데, 국가폭력처럼 〈지슬〉의 연장선상에서 생각할 수 있는 주제는 일부러 피했다고 한다. "〈지슬〉의 주제가 워낙 무겁고 강렬했기 때문에 개봉 때까지도 계속해서 〈지슬〉이라는 거대한 그물에 걸려 있는 기분이었다. 거기서 벗어나고 싶은 마음으로 〈하늘의 황금마차〉를 만들었다." 노인을 주인공으로 한 영화, 삶의 마지막 여정으로서 죽음을 이야기하는 영화를 만들게 된 건 어쩌면 오기였다. "내가 가장 관심을 두지 않았던 주제, 내가 가장 잘 모르는 주제를 택하고 싶었다. 개인적 무관심 혹은 사회적 무책임을 영화로나마 갚고 싶은 마음도 있었던 것 같다." 〈하늘의 황금마차〉를 만들던 당시 오멸 감독은 40대였다. 노인 문제는 스스로에게 낯설고도 먼 주제였다. 더불어 노화와 죽음을 이야기하기 위해선 우리가 외면하고 싶거나 부끄럽고 창피하다고 생각하는 것들을 마주해야 했다. "들춰보기 싫어 슬그머니 외면했던 것들을 오히려 유쾌하게 풀어보면 어떨까 싶었다. 이를테면 나이가 들어 기저귀를 차게 되는 것을 우리는 부끄러워하고 불편하게 생각하지 않나. 그런 모습들까지 영화의 장면으로 가져오고 싶었다. 노인이 되었을 때 경험하게 되는 문제들, 젊은 사람들은 의식하지 못하지만 노인이 되면 일상이 되는 상황들을 자연스

총은 총을 부르고 꽃은 꽃을 부르고

럽게 영화에 담으려 했다. 거동이 불편한 나이가 되면
생활의 동선도 짧아지는데, 여행을 통해 그 반경을 넓
혀보려 했다. 물론 가족의 도움이 없이는 불가능한 일
이다. 노인 문제는 노인 스스로 극복하기에는 한계가
있기 때문이다."

　　감독의 얘기처럼 〈하늘의 황금마차〉엔 표현의
미화가 없다. 치매 증상을 앓는 큰형은 기저귀만 찬
채로 평상에서 춤을 추고, 밴드 멤버들은 잠옷 바람으
로 여행을 떠난다. 누추함과 자연스러움 사이를 오가
는 영화적 자유로움. 그것은 외적인 표현뿐 아니라 인
물들의 관계를 표현하는 방식에서도 마찬가지다. 현
실의 모든 가족이 화목하지 않고 모든 밴드가 단합이

잘되는 게 아닌 것처럼, 영화 속 인물들은 이웃과 가족들에게 꽤나 민폐를 끼치며 살아가는 적당히 속물적인 사람들이다. 〈하늘의 황금마차〉는 아프고 가난하고 잘난 것 없는 이들이 어쩌다 길을 떠나 스스로를 돌아보고 가족을 돌아보고 인생을 돌아보는 이야기다. 사회적 기준으로 보자면 인물들이 처한 표면적 상황은 우울하고 암담할 수 있다. 영화 속 형제들은 변변한 집도, 직업도 없다. 심지어 우애도 없다. 아픈 큰형의 집문서를 차지하기 위해 함께 여행을 떠난다는 설정까지, 영화는 각자의 속내를 투명하게 드러내고 시작한다. 밴드 멤버들의 상황도 다르지 않다. 다만 이들의 곁엔 미우나 고우나 사람들이 있다. 매번 부대끼고 싸우지만 함께 길을 걸어갈 가족과 친구들이 있다. 그 길 끝에서 철없는 어른들은 무언가를 깨닫는다. 이들의 유랑은 유치하고 궁상맞을지언정 슬프고 우울하지 않다. 판타지를 빌려 녹록지 않은 현실을 환기하는 이 영화는 어른들을 위한 한 편의 동화 같다.

죽음을 특별한 비극으로 여기지 말 것

〈하늘의 황금마차〉가 로드무비라는 점은 주제와도 중요하게 연결된다. 간암에 치매까지 진행 중인 큰형은 집안에서 의식을 잃고 쓰러진 뒤 집을 나서기로 결심한다. 방문 진료를 온 의사를 비롯해 형제들은 이렇게 집안에서 병을 방치하고 있으면 안 된다고, 병원에서 치료를 받아야 한다고 얘기하지만 큰형의 고집은 완강하다. 그는 폐허처럼 방치된 쓰러져가는 집에서 외로이 죽음을 맞이하고 싶지 않다. 병원에서 연명치료를 받으며 쓸쓸히 죽음을 맞이하고 싶지도 않다. 그래서 그는 동생들에게 '같이 여행가는 놈에게 집문서를 주겠다'고 말한 것이다. 자신의 죽을 자리는 자기가 결정하겠다는 선언! 그래서 〈하늘의 황금마차〉는 길을 떠나는 사람들, 죽이 되든 밥이 되든 제 삶을 스스로 선택하는 사람들의 이야기가 된다. 좁고 비좁은 텐트, 찢어진 비닐 텐트에서 부대끼며 잠을 자더라도 그들은 길 위에 서 있다. 그들이 도달하려는 최종 목적지가 어디인지는 알 수 없으나 그들은 여행을 하기로 결심한다. 끝내 큰형은 집도 병원도 아닌 곳에서 숨을 거둔다. 풀과 나무와 바람, 형제와 천사들의 배웅을 받으며 황금마차를 타고 하늘로 향한다. 저승 길이 쓸쓸하지 않게 흰 날개를 단 천사들(밴드 멤버들)의 노래도 함께한다. 큰형의 마지막 순간은 마치 "자연의 품으로 돌아가는 것" 같다. 오멸 감독은 말한다. "생과 사는 이 세계의 자연스러운 섭리다."

치매라는 병에 대한 접근도 비슷하다. 오멸 감독의 할머니 역시 돌아가시기 전 치매를 앓았다고 한다. 나이 들면 훈장처럼 얻게 되는 얼굴의 주름처럼 퇴행성 뇌질환인 치매 역시 자연스러운 것일 수 있다고 감독은 말한다. "많은 사람들은 치매가 주변 사람들을 비참하고 고통스럽게 만드는 병이라고 인식하지만, 조금 다른 시선으로 보면 원초적인 상태로 돌아가는 것이라고 할 수 있다. 스스로 의식주를 해결할 수 없는 아이의 모습으로 돌아가는 것이다. 기억을 잃어가는 모습을 지켜보는 것이 당혹스러울 수 있지만 그것 역시 받아들이는 사람의 문제일 수 있다. 우리는 모두 어릴 때 대소변을 가리지 못했다. 부모가 그런 우리를 돌봐주었다. 그걸 어른이 된 자식이 되갚는 것이라고 생각하면 어떤가. 모든 것은 생각하기 나름이다."〈하

총은 총을 부르고 꽃은 꽃을 부르고

늘의 황금마차〉를 보고 있으면 임권택 감독의 〈축제〉
(1996)가 떠오르기도 한다. 〈축제〉는 말년에 치매를 앓
은 노모의 장례를 치르며 가족들이 갈등하고 끝내 그
갈등이 봉합되는 이야기다. 〈축제〉에서도 말하는 바,
결국 죽음은 삶의 속박으로부터의 해방일 수 있다. 또
한 남겨진 자들은 장례라는 절차를 통해 오해가 이해
가 되고 갈등이 화합이 되는 숙고의 시간을 통과하게
된다. 그러니 죽음을 특별한 비극으로 여기지 말자고
〈하늘의 황금마차〉는 이야기한다.

존엄한 죽음을 가로막는 사회

　　물론 판타지는 판타지일 뿐 영화와 현실 사이
엔 엄연히 간극이 존재한다. 〈하늘의 황금마차〉는 치
매 노인의 돌봄 노동에 대해 국가나 사회 시스템에 대
한 이야기로까지 주제를 확장하지는 않는다. "그래서
인지 영화가 김빠진 사이다 같다고 표현한 사람도 있
었다"고 오멸 감독은 웃으며 말했다. 더불어 철부지
삼형제가 큰형의 여행길에 동행하는 것 역시 돌봄 노
동이라고 한다면, 영화는 그것을 가족의 영역 안에서

해결하고 매듭짓는다. 여기서 재밌는 건, 현실에서 돌봄 노동은 대부분 가정의 여성이 떠맡고 있는 데 반해 〈하늘의 황금마차〉에선 남자들이 한다는 것이다. 이역시 판타지적이라면 판타지적인 상황이다.

영화는 남은 형제들과 밴드 멤버들이 큰형이 남기고 간 집을 다 함께 수리하는 모습을 보여주며 끝난다. 남겨진 사람들에겐 새로운 보금자리는 물론 의지할 사람들이 생겼다. 큰형이 주고 간 진정한 선물 혹은 교훈은 바로 이것이다. 형의 유산을 소수점까지 계산해가며 공평하게 나누느라 반목했다면 형제들은 집도 잃고 사람도 잃었을 것이다. 그런데 현실은 영화와 같지 않은 경우가 많다. 노년을 함께할 가족이 없고 자기 소유의 집도 없다면 어떨까? 경제적으로 여유가 없고 사회적 관계망도 부실하다면 과연 행복한 죽음을 맞이할 수 있을까? 이와 관련한 불명예스러운 기록을 소환하자면, 한국은 OECD 회원국 중에서 노인 빈곤율과 자살률이 가장 높은 나라다.

의료인류학자 송병기는 책 《각자도사 사회》에서 "존엄한 죽음을 가로막는 불평등한 삶의 조건을 성찰"한다. 그는 '웰다잉'이라는 말에 숨은 사회적 함

의도 비판적으로 분석한다. 언론에 처음 등장한 웰다잉이라는 말이 "이른바 성공학이나 처세술 따위의 자기계발 담론과 궤를 같이하는 말"이었다는 것이다. "웰다잉이 강조하는 좋은 죽음과 능동적인 죽음 준비라는 '가치의 틀'은 죽음을 각종 기술로 통제할 대상으로 만들고, 정작 죽음을 고통스럽게 만드는 불평등한 삶의 조건에는 주목하지 못하게 한다. 학력, 직업, 소득, 지역 등에 따른 죽음의 불평등성을 '잘 살고 잘 죽어야 한다'는 윤리적 언어 표현으로 가리거나 정당화한다." 아프지만 진실이다. 삶이 평등하지 않은 것처럼 죽음 또한 평등하지 않다. 존엄한 돌봄을 받다가 존엄하게 죽음을 맞이하기 위해선 경제적, 사회적으

로 여유가 있어야 한다. 그래서 저자는 말한다. "존엄하게 죽기 위해서는 존엄하게 살 수 있는 사회가 있어야 한다." 존엄하게 살 수 있는 사회에선 노인 빈곤율과 자살률도 낮아질 것이다. 불평등한 삶의 조건을 개선하려는 노력 없이 '좋은 죽음'은 요원하다.

가장 마지막 순간까지 나 자신으로

존엄한 삶과 존엄한 죽음의 상관관계를 이야기하는 또 다른 책으로 '존엄사'를 다룬 케이티 엥겔하트의 〈죽음의 격〉이 있다. 존엄사를 다룬 다큐멘터리 〈죽음의 시간〉(2019)을 공동 제작하기도 한 기자 출신의 저자는 존엄사와 관련해 다양한 신념과 경험을 가진 사람들을 만나 존엄한 죽음의 가능성과 불가능성을 살핀다. 존엄사를 조력하는 의사, 존엄사에 반대하는 의사, 존엄사를 원하는 환자 등을 만나는 과정에서 그는 '존엄'이란 대체 무엇인지, 죽음의 '결정권'은 어떤 윤리적 도덕적 법적 타당성을 가지는지, '존엄한 죽음을 보장하는 사회'는 무엇인지 고민한다. 책에 따르면, 환자가 죽음을 선택하는 과정에는 신체적 고통

뿐 아니라 경제력과 가족 및 공동체와의 관계 등이 두루 영향을 미친다. "존엄사가 처음 합법화됐을 때 반대자들은 가난한 사람이 일찍 죽도록 떠밀릴 것을 걱정했지만, 그와는 반대의 상황이 벌어지고 있었다. 부유한 환자가 원하는 죽음에 먼저 도달하고 가난한 사람은 원하지 않아도 더 살아야 했다"라는 대목은 죽음을 결정할 자유마저 경제적 조건의 영향 아래 있음을 보여준다. 씁쓸한 현실이다. 한편 2022년 6월, 한국에서도 '조력존엄사법'이 발의됐다. 존엄한 죽음에 대한 논의가 조력존엄사법 발의로까지 이어진 것인데, 수용하기 어려운 고통을 겪는 말기 환자가 의사의 도움을 받아 스스로 삶을 마무리할 수 있도록 하겠다는 내용이다. 한국에서는 물론이고, 존엄사는 여전히 찬반 의견이 팽팽한 문제다.

한국의 65세 이상 노인 10명 중 9명은 '가족이나 지인에게 부담을 주지 않는 죽음'을 생애 말기의 '좋은 죽음'이라고 생각한다는 조사 결과가 있다(보건복지부 2020 노인실태조사). 이 결과는 다수의 노인이 혹여나 자신이 가족들에게 '짐'이 되지 않을까 걱정한다는 뜻으로도 해석 가능하다. 사회적 돌봄 제도가 취약하고 노부모에 대한 가족의 부양의무가 큰 한국 사회에선 사회가 감당해야 할 몫을 가족이 떠맡고 있는 경우가 많고, 가족에게 지워진 과도한 부담은 가족 간의 갈등으로 이어지는 경우도 다반사다. 가족에게 부담을 주지 않기 위해 요양원을 선택하더라도 경제적 부담의 문제는 여전히 남는다. 요양원에서 코에 호스를 꽂은 채 죽고 싶다는 사람은 많지 않지만 재택사보다 병원사가 늘고 있는 게 현실인 상황. 좋은 죽음은 생각만큼 쉽지가 않다.

〈죽음의 격〉에서 케이티 엥겔하트는 "내가 만난 사람들은 가장 마지막 순간까지 자기 자신으로, 자기가 정의한 자신으로 사는 것이 중요했다"고 책 말미

총은 총을 부르고 꽃은 꽃을 부르고

에 썼다. 그렇다면 존엄한 죽음은 가장 나다운 삶의 마무리여야 하지 않을까. 문득 노희경의 드라마 〈우리들의 블루스〉에서 배우 김혜자가 연기한 인물인 옥동의 죽음이 생각난다. 이 드라마 역시 〈하늘의 황금마차〉와 마찬가지로 제주도가 배경이다. 병이 깊으나 병원 치료를 거부하던 옥동은 오랫동안 자신을 원망하며 살아온 아들 동석(이병헌)에게 한라산에 가자고 한다. 제주에 살면서 한 번도 한라산에 오르지 못했다는 노모는 말기 암의 몸으로 겨울의 한라산을 힘겹게 오른다. 평생 뜻대로 살아본 적 없던 옥동은 죽음을 앞두고는 이상하리만치 고집을 부린다. 그리고 끝내, 아들이 좋아하는 된장찌개를 끓여놓고 집에서 조용히 생을 마감한다. 옥동의 마지막은 끝내 옥동다웠다. 그 죽음은 감히 아름다운 이별이었다.

　　우리는 죽음을 피할 수 없다. 나의 죽음도, 타인의 죽음도. 그렇다면 우리가 말할 수 있는 건 이것뿐이다. 우리에겐 존엄하게 죽을 권리가 있다.

이주현

⟨소주와 아이스크림⟩

(Soju & Icecream, 2015, 35분, 12세 이상 관람가)

감독: 이광국

장르: 드라마

7장

가깝고도 먼,
고독사와
생의 의지

"나의 고독에
　　　　안부를 묻다"

이광국 감독 주요 필모그래피

〈동에 번쩍 서에 번쩍〉(2022) 〈호랑이보다 무서운 겨울
손님〉(2017) 〈시선 사이〉 중 〈소주와 아이스크림〉(2015)
〈꿈보다 해몽〉(2014) 〈말로는 힘들어〉(2012) 〈로맨스 조〉
(2011)

"원망하지 않기" "깨끗하게 떠나기"

인간은 누구나 태어나고 죽는다. 이 절대적 진리를 벗어나 영원히 살 수 있는 사람은 없다. 하지만 어떻게 죽을 것인가의 문제는, 100세 시대라고 불리는 현재 꽤나 풀기 어려운 난제처럼 느껴진다. 태어난 지역에서 평생을 대가족의 구성원으로 살다 죽음을 맞이하던 시대와 달리, 이제 많은 이들은 도시에서, 자기만의 방에서, 연결되지 못한 채 삶의 마지막 날들을 보내다 죽음을 맞이한다. 이광국 감독의 단편영화 〈소주와 아이스크림〉은 21세기의 화두 중 하나인 고독사를 다룬다.

세아는 보험판매원이다. 누군가에게 보험을 권유하는 일이 그녀에게는 아직 버겁기만 하다. 친언니를 찾아간 세아는 우연히 길에서 한 여자와 마주친다. 길가에 앉아 아이스크림을 안주 삼아 소주를 마시는 여자는 세아에게 자신이 모아둔 빈 소주병을 가리키며, 그것을 팔아 아이스크림을 사다 달라는 부탁을 한다. 소주병을 팔러 간 세아는 빈 병에서 흘러나오는 깊은 숨소리를 듣는다. 그리고 자신에게 부탁을 한 여자의 환영을 통해, 그녀의 마지막 날들을 보게 된다.

간단한 줄거리는 그렇지만, 자세히 살펴보면 문제는 조금 더 복잡해 보인다. 아마도 길거리에서 만난 낯선 이의 부탁을 못 들은 척 발걸음을 빠르게 놀리며 피하는 쪽을 선택해본 이라면 〈소주와 아이스크림〉을 보며 난처한 기분에 휩싸일 것이다.

세아의 곤경은 '거절하지 못함'에 있다. 보험 가입을 받을 수 있다면 누구의 부탁이든 들어주어야 하는 상황인 세아는 안 된다는 말을 하기 어려워한다. 하지만 그런 세아도 자기 가족과 전화통화를 할 때는 제법 매서운 말투를 쓴다. 세아의 가족에게는 무언가 말 못 할 문제가 있고, 그로 인해 언니는 진즉 집을 나가 살고 있으며, 언니는 동생의 연락을 받고 싶지 않아 한다. 두 사람의 티격태격하는 장면은 길가에 앉아 있던 여자의 장면으로 이어지며 보다 깊은 울림을 자아낸다.

소주병 안에 돌돌 말린 종이를 발견한 세아는 그것을 끄집어내 읽어본다. 마치 조난당한 사람이 구조요청을 위해 유리병에 구조를 요청하는 편지를 바다에 띄워 보내듯, 소주병 안에서 꺼낸 종이에는 이런 문구가 적혀있다. "원망하지 않기. 원망하지 않기. 포기하지 않기. 대책을 세우기. 술을 끊기. 웃음을 잃지 않기. 깨끗하게 떠나기. 깨끗하게 떠나기." 낭독하는 목소리를 타고 우리는 글을 쓴 여자의 방 안으로 들어간다. 다짜고짜 방을 빼달라는 요청을 하는 집주인에게 사정을 하지만, 집주인은 냉담하게 전화를 끊어버린다. 답답한 마음에 방 안에 널려있는 소주병을 집어들어 마시려고 해 보지만 술병은 이미 비었다. 그녀가 병 입구에 대고 숨을 불어넣는 소리가, 기묘하게도, 소주병을 팔러 간 세아의 귀에 들어오는 것이다. 그리고 세아는 계속 엿듣는다. 여자는 딸에게 전화하지만 딸도 그녀를 도울 마음이 없다.

〈소주와 아이스크림〉은 가장 가까운 존재인 가족으로부터 외면받은 사람을 보여주는 동시에 (자신의 생존을 위해 타인을) 외면할 수밖에 없는 상황에 처한 이들의 사정을 드러낸다. 소통의 부재는 고독사로 이어지는 가장 중요한 연결고리인 셈인데, 연결을 강요할 수 없는 이유가 영화에서는 동시에 다루어지는 것이다. 누군가에게 가정은 자신을 보호하는 울타리가 아니라 자신의 생존을 위협하는 생존투쟁의 장이나 마찬가지다. 이 딜레마를, 영화는 담담하게 그려낸다. 다짜고짜 연결되면 해결될 일이라고 말할 수 없다는 사실이, 영화를 통해 서서히 드러난다.

이광국 감독은 고독사와 자살에 대한 이야기를 다루고 싶었다고 한다. 그 둘은 같지 않지만, 아주 동떨어진 것도 아니라고 생각하기 때문이다. "고독사에 대해 생각하면… 저 혼자의 상상이기는 하지만, 혼자 남겨진 사람의 마지막에 대한 생각을 많이 하거든요. 벼랑 끝에 몰려 있거나 궁지에 몰려 있는 사람이 마지막 선택을 할 때 갖는 그 고립감에 대해 평소에 생각을 많이 하는 편이에요. 그래서 벼랑 끝에 놓인 한 여자를 먼저 떠올렸어요. 그리고 그 사람의 상대역으로 누가 좋을까 고민하다가, 감정 노동을 하는 또 한 사람을 생각하게 됐죠."

2020년대 들어 한국의 여러 지자체에서는 고독사와 관련한 여러 대책을 세우고 있다. 2022년 보건복지부가 '고독사 실태조사 결과'에 따르면 우리나라 고독사 건수는 2017년 2,412건에서 2021년 3,378건으로 늘었다. 같은 해 11~12월 복지부가 한국리서치에 의뢰해 1인 가구 9,471명을 대상으로 한 조사에선 고독사 위험군이 인구의 3%인 152만 5,000명으로 추정된다는 결과도 나왔다. 보건복지부는 고독사 예방을 위한 첫 기본계획인 '제1차 고독사예방기본계획'을 수립해 발표하기도 했는데, 그 시작은 고독사 위험군을 찾아내는 것이다. 이·통·반장 등 지역 주민이나 부동산중개업소와 같은 지역밀착형 상점을 '고독사 예방 게이트키퍼'로 양성하고 다세대 주택, 고시원 밀집지역 등 고독사 취약지역 발굴 조사를 강화한다는 것이다.

살고자 하는 욕망에 대한 이야기
〈소주와 아이스크림〉

현대사회는 초연결사회다. 고립이라는 단어와 가장 먼 방향으로 '진화'하고 있는 듯 보이는 이 시대에 왜 전보다 더 많은 사람들이 홀로 죽는 것일까. 이광국 감독의 생각은 이렇다. "사회가 더 편해지고 빨라졌잖아요. 소통이라는 단어도 전보다 더 많이 쓰이고요. SNS는 언제나 연결되어 있다는 느낌을 주고요. 그런데 정작 옆에 있는 사람이 어떤 상태인지는 전보다 더 모르는 것 같아요. 멀리 있는 유명인을 훨씬 더 가깝게 느끼고, 바로 옆에 있는 사람은 어떤 생각을 하는지, 어떤 감정 상태인지 몰라요. 옆에 사람이 있는데 그 사람을 제쳐두고 소통하고 싶어 하는 욕망에 SNS를 하는 식으로요. 챗GPT 같은 새로운 기술을 통해, 이제는 사람을 상대하지 않고도 대화를 할 수 있게 되었잖아요. 부대끼는 걸 견디며 사람과 대화하기보다 나에게 맞춤한 형태로 커뮤니케이션하는 것에 더 익숙해지고 있지 않나 생각이 들어요."

〈소주와 아이스크림〉은 죽음이 아니라 삶, 살고

자 하는 욕망에 대한 이야기다. 이광국 감독은 무기력하게 죽음을 맞이하는 모습만을 말하고자 하지 않았다. 삶의 매순간 살고자 애쓴 모습을 담아냈다.

인간은 누구나 혼자 태어나고 혼자 죽는다. 하지만 죽는 순간에, 나아가 죽은 뒤에 혼자 남겨진 채 발견되기를 기다리는 망자들의 사연이 보도될 때마다, 많은 이들은 안타까움과 추모의 감정에 잠긴다. 세상을 떠난 이의 사연을 다 헤아릴 수 없지만, 특수청소 전문가, 유품정리사들의 이야기가 조금씩 알려지면서 고독사의 현실 역시 이전 어느 때보다 많은 이들의 주목을 받는다.

드라마 〈무브 투 헤븐: 나는 유품정리사입니다〉는 에세이 《떠난 후에 남겨진 것들》을 모티프로 하고 있다. 드라마에는 치매로 인해 고독사한 지 3주 만에 발견된 이영순 할머니의 이야기가 나온다. 고독사의 이유가 가족이 없어서가 아니라는 사실을 잘 보여주는 에피소드인데, 고인이 살아계실 때는 찾아보지 않던 아들과 딸이 특수청소를 위해 방문한 주인공에게 통장이나 돈이 있으면 먼저 가지고 나오라고 윽박지르는 장면이 나온다. 《떠난 후에 남겨진 것들》에는 이 에피소드를 연상시키는 '자식을 향한 작은 바람'이라는 이야기가 실려 있다. 할아버지가 혼자 살다 세상을 떠나고 스무 날이 지나서야 그 사실을 알게 되었으나 아무도 슬퍼하는 사람이 없었다. 청소를 위해 모인 현장에는 딸과 사위, 아들로 보이는 사람들이 모여 있었지만, 작업 절차에 대해 말하기도 전에 유족들은 우루루 방으로 쏟아져 들어가 온갖 서랍들을 뒤집으며 집문서 운운하기 시작했다. 앨범, 휴대전화, 신분증, 각종 서류, 통장, 현금, 귀중품 등은 별도의 요청이 없어도 유가족에게 전달하게 되어 있는데도 돈 될 만한 물건이 나오면 바로 전달해달라는 신신당부가 이어졌다. 정리 중에 나온 앨범과 사진 액자를 내밀었더니 아들이 뺏듯 집어 들어 한쪽으로 던져버렸다. 그런데 그 액자 뒷면에 집문서와 현금 500만 원이 있었고, 그걸 손에 넣고서야 무안한 듯 사진을 챙겨들었다는 사연. 그러고 보니, 고인의 시신을 처음 발견한 사람도 자녀가 아니라 이웃집 할아버지였다고 한다. 혼자 죽음을 맞았다 해서 무조건 비극이라고 할 수 없을뿐더러, 세상을 떠난 고인과 남겨진 사람들의 사연은 쉽게 추측할 수도 없다. 다만 죽은 뒤에 오랜 시간이 흘러

총은 총을 부르고 꽃은 꽃을 부르고

발견된다는 말 속에 숨겨진 뜻, 즉 살아있는 동안에도 자주 연락하고 소통하는 사람이 없다시피 했으리라는 '고독'에 마음이 쏠리는 것 역시 막기 어려운 일이다.

　　김석중 씨가 출연한 〈유 퀴즈 온 더 블록〉은 유품정리인을 이렇게 설명한다. "누구나 가족과 일가친척들이 지켜보는 가운데 편안한 임종을 맞이하는 것은 아니다. 아무도 모르는 사이에 조용히 고독하게 죽어가는 사람도 적지 않다. 그래도 곧 발견된다면 괜찮겠지만 꼭 그렇지도 않다. 계절에 따라 차이는 있지만 사후 며칠이 지나면 시체는 반드시 부패해서 시취가 발생하기 시작한다. 방 안은 시간이 흐름에 따라 점점 심각한 상태가 되고, 점차 방 안에 있는 모든 물건에 시취가 배서 지워지지 않게 되어버린다. 이처럼 여러 가지 사정으로 수령할 사람이 없는 유품을 처리하고 냄새를 포함한 흔적을 완전히 제거해 원상태로 회복시키는 일을 대신하는" 사람. 김석중 씨는《당신의 마지막 이사를 도와드립니다》라는 책을 쓰기도 했다. 그의 설명에 따르면 냉장고를 먼저 열어본다고 한다. 마지막까지 사용한 물건이기 때문이며, 고인의 성향을 어느 정도 파악하기에 용이하기 때문이다. 이는 사후 유품정리는 살아있을 때의 생을 가늠하는 작업에서부터 시작한다는 뜻이다.

일본에서는 생전에 유품정리를 유품정리회사에 맡기는 사람들이 있다고 한다. 일본에서는 혼자 죽은 이가 방치되었다가 뒤늦게 발견되는 문제가 잇달아 사회적 논란을 일으키면서 '고립사'라는 용어도 이미 정착했다. 사망한 뒤 고인의 유지를 받들어 유품을 정리하는 일이 보다 수월해지는 셈이다. 고령화 사회에서, 핵가족 사회에서 어쩌면 이런 일들은 곧 한국에서도 볼 수 있을지 모른다.

고독사와 가난에 대한 공포

그런데 고독사에 대한 두려움에는 가난에 대한 공포가 섞여 있다. 〈소주와 아이스크림〉에서 그리는 고독사의 모습 역시 가난과 떼어놓고 생각할 수 없다. 세아에게 모아둔 소주병을 주며 아이스크림을 사다 달라고 부탁한 여자의 속사정을 영화가 담아낼 때, 우리는 여자가 딸에게 전화해 돈을 빌려달라고 읍소하고, 밀린 방세 때문에 방을 비우라는 집주인의 통보에 무력하게 매달리는 모습을 보게 된다. 돕기는커녕 여자의 호소에 귀 기울이는 사람 하나 찾기가 어렵다. 아마도 여자는 세아와 마주치기 전 혼자 오랫동안 그 자리에 앉아있었을 것이다. 유령처럼. 아니, 영화를 끝까지 보면 애초에 세아가 본 사람은 누구였을까 싶다. 고독사한 여자의 유령이 세아를 찾아왔던 것일지도 모른다. 여자의 사정이 낱낱이 드러날 때 우리는 여자의 마음을 무겁게 가라앉힌 가난을 목격한다.

특수청소 서비스회사를 운영하는 김완 씨의 《죽은 자의 집 청소》에서 고독사를 다루는 장 제목은 '가난한 자의 죽음'이다. 챕터는 "주로 가난한 이가 혼자 죽는 것 같다"고 운을 뗀다. (참고로 자살을 고독사의 범주에 포함시킬지의 여부는 의견이 분분하다고 한다.) 그의 말에 따르면 금은보화에 둘러싸인 채 뒤늦게 발견된 고독사는 본 적이 없다는 것이다. 많은 경우 고독사의 경우 유족이 시신 수습을 거부하는 일도 심심찮게 보게 된다는 것이다. "주로 가난한 이가 혼자 죽는 것 같다. 그리고 가난해지면 더욱 외로워지는 듯하다. 가난과 외로움은 사이좋은 오랜 벗처럼 어깨를 맞대고 함께 이 세계를 순례하는 것 같다."

〈소주와 아이스크림〉에서 죽은 여자가 모아둔 소주병에서 소리가 흘러나오는 부분을 두고, 공광규 시인의 〈소주병〉이라는 시를 연상했다는 관객이 있었다. 잔을 채우며 속을 비우는 소주병을 묘사하며 시작하는 이 시는, 빈 병이 길거리에 무참하게 굴러다니는 모습으로 시선을 옮긴다. 그리고 소주병은 뜻밖의 사람을 불러낸다. "바람이 세게 불던 밤 나는/ 문 밖에서/ 아버지가 흐느끼는 소리를 들었다// 나가 보니/ 마루 끝에 쪼그려 앉은/ 빈 소주병이었다" 홀로 외로이 우는 아버지의 모습을 빈 소주병에 스치는 바람소리를 통해 연상한 시다. "그 숨소리가 전해졌으면 좋겠다는 생각을 했던 것 같아요. 마지막 끈이라도 잡고 싶은 누군가의 숨소리가 그저 전달되기라도 했으면 좋겠다. 하지만 그 소주병에서 나오는 소리는 사실 환상이잖아요. 소주병으로 전달될 수 없는 소리라는 건 알지만, 빈 소주병에 누군가의 숨이 남아있다면 어떨까 하고 생각했던 기억이 있어요. 누군가에게 말을 거는 느낌이면 좋겠다고요.”

구경꾼으로 존재하는 사회

〈소주와 아이스크림〉에는 고독사로 죽은 여자뿐 아니라 세아의 이야기도 담겨있다. 엄마와 언니와 세아는 왜 이렇게 소원해졌을까. 어쩌면 미래에 세아의 엄마가, 혹은 언니나 세아가 혼자 죽은 여자처럼 생의 마지막 순간을 맞이하는 것은 아닐까. “세아와 가족의 관계는 제 경험에서 조금 많이 가져왔어요. 제가 동생과 이야기를 나누던 기억들이죠. 영화와 비교하면 저는 세아가 아니라 세아의 언니 쪽이었어요. 제가 도망쳤던 지점들이 있었어요. 그런 저에 비하면 동생은 그 자리에서 더 책임을 다하며 살았고요. 동생과 일상적으로 집안 이야기를 나누던 편은 아니었는데, 어느 날 이야기를 나눠보니까 제가 동생을 힘들게 했다는 사실을 알게 됐죠. 그래서 대사에 저의 경험치가 조금씩 들어갔지 싶어요."

총은 총을 부르고 꽃은 꽃을 부르고

박지영의 《고독사 워크숍》은 존엄한 죽음을 꿈꾸는 평범한 사람들의 시시한 듯 절박하고 모순된 듯 이해할 수 있는 욕망을 옴니버스 형식으로 보여준다. 이 소설의 첫 문장도 돈 이야기다. "고독사하는 데도 돈이 든다. 당연하다. 사는 것도 죽는 것도 다 돈이다. 그놈의 돈. 일단 필요한 건 자기만의 방이다." 버지니아 울프의 《자기만의 방》이 창작을 위한 최소한의 조건으로 제시되었다면 고독사하려는 사람도 혼자 죽을 공간이 필요하다는 깨달음은 헛헛하고 쓴웃음을 자아낸다. '고독사 워크숍'은 퇴근시간 지하철에서 에어드롭으로 받은 메시지로 시작된다. 누가 보냈는지는 알 수 없지만 "오 늘 부 터 고 독 사 를 시 작 하 시 겠 습 니 까"라는 메시지가 온 것이다. 그렇게 모인 사람들의 이야기를 담은 이 소설은 고독사 위험군이 70~80대 독거노인이 아니라 고독사에 대한 불안을 안고 사는, 구체적 대안도 해결책도 없이 살아가는 30~40대 남녀들이라고 정의한다. 자신의 고독에 안부를 묻고 스스로를 대면하는 작업을 통해 이들이 향하는 곳은 고독사일까 생의 의지일까.

우리는 고독사를 다루는 콘텐츠가 잇달아 나오

는 세상에 살고 있다. 혼자 죽음을 맞이하는 이들을 위한 특수청소업체가 하나둘씩 생겨나고, 고독사라는 말은 이제 낯설지 않게 되었다. 하지만 고독사 문제의 해결책은 공포가 아니다. 이광국 감독은 〈소주와 아이스크림〉의 결말에 대해 이렇게 말했다. "열린 결말을 포함해 다양한 결말이 가능했지만, 글쎄요. 영화를 보고 나서 가까운 친구나 가족에게 전화 한 번할 수 있는 정도의 감정을 느낀다면 제일 좋겠다고 생각하고 만들었어요. 이런 문제를 해결하는 시작점은 옆에 있는 사람을 한 번 더 바라봐주는 것일지도 모른다고요. 사회 시스템도 필요하지만, 고독사 문제를 다루는 출발 지점은 서로 안부를 물어주는 데서부터라고요." 영화에 나오는 "나 한 번만 안아주면 안 돼?"라는 질문은 마지막 순간까지 그리울 사람을 향한 애원처럼 들리기도, 죽음에 이르는 순간까지 손을 내밀지 않은 사회를 향한 고발처럼 들리기도 한다. 개인도 사회도 이 문제에서 구경꾼으로 존재해서는 안 된다.

이다혜

총은 총을 부르고 꽃은 꽃을 부르고

〈얼음강〉
(Ice River, 2013, 39분, 12세 관람가)
감독: 민용근
장르: 드라마/멜로

8장

양심을
허락받아야 하는
세상

"한국에서 군대가
무엇이기에"

민용근 감독 주요 필모그래피

〈소울메이트〉(2023) 〈고양이춤〉(2015)
〈자전거 도둑〉(2014) 〈어떤 시선〉 중 〈얼음강〉(2012) 〈혜화, 동〉(2010) 〈원나잇 스탠드〉(2009) 〈도둑소년〉(2006)

한국에서 군대가 무엇이기에

　　'군대'라는 두 글자를 인터넷 포털사이트 검색창에 입력해본다. 군대 관련 뉴스는 크게 세 가지로 분류할 수 있었다. 첫째, 연예인과 스포츠 선수들의 입대 소식 및 병역 면제 이슈. 둘째, 대통령과 정치인의 군대 관련 발언. 셋째, 군대에서 벌어진 이런저런 사건사고들.

　　항저우 아시안게임(2023년 9월 23일~10월 8일)이 열리던 시기엔 금메달을 따고 병역특례 혜택을 받은 선수들의 소식이 뉴스란을 가득 채웠다. 올림픽과 같은 주요 스포츠 대회가 열릴 때마다 선수들의 병역 문제는 중요한 '뉴스'가 된다. 축구와 야구처럼 출전 선수가 많은 단체종목의 경우 그 주목도는 더 높아진다. 2023년 항저우 아시안게임에서도 축구와 야구 국가대표팀 선수들이 군 면제 혜택을 받았다. 그러면서 따라오는 이야기는 대개 다음과 같다. 국제 대회에서 금메달을 딴 축구선수 손흥민과 이강인은 군 면제를 받는데 BTS는 국위 선양을 하고도 군대를 가야 하는 게 과연 공평한 거냐고. 만약 칸영화제와 미국아카데미 시상식에서 최고상을 받으며 국위 선양을 한 〈기생충〉의 봉준호 감독이 군 미필자의 젊은 감독이었다면 어땠을까. 이처럼 한국의 병역법은 아직 대중문화예술인을 예술체육요원의 범주로 인정하지 않고 있다. 지금이 올림픽 기간이나 선거철이었대도 군대 문제와 병역 특례 뉴스는 비슷한 전개 양상을 보이며 생산될 것이다. 뿐만 아니라 군필자에게 가산점을 부여하는 것이 옳은지, 왜 병역의 의무는 남성만 지는지, 양심에 따른 병역거부와 대체복무는 어떤 관점으로 바라봐야 하는지 등 징병제 국가이자 세계 유일의 분단국가인 한국에서 군대 문제는 언제나 초미의 관심사이자 이성적 합의점을 찾기 힘든 주제다. 도대체 한국에서 군대란 무엇이기에!

민용근 감독의 〈얼음강〉

민용근 감독은 여러 군대 이슈 중에서도 쉽게 사회적 합의점을 찾기 어려워 보였던 양심에 따른 병역거부자의 이야기를 단편영화 〈얼음강〉(2013)으로 만들었다. 〈얼음강〉은 국가인권위원회에서 기획하고 제작한 옴니버스영화 〈어떤 시선〉에 포함된 세 편의 단편(〈두한에게〉〈봉구는 배달 중〉〈얼음강〉) 중 한 편이다. 영화의 주인공은 곧 입대를 앞둔 청년 선재(공명)다. 선재는 일터인 카센터에서 착실하게 일해 사장(정인기)으로부터 신뢰를 받고 있고, 미용실을 운영하는 엄마(길해연)에게도 더없이 자상하고 착한 아들이다. 선재는 입대일이 하루 앞으로 다가왔음에도 자신이 군대에 가야 한다는 사실을 엄마에게 비밀로 부치고 있다. 이유는, 그가 군대에 가지 않을 것이기 때문이다. '여호와의 증인' 신자인 선재는 종교적 신념에 따라 총을 들지 않기로 한다. 선재는 자신의 생각을 편지에 적어 남긴다. 편지의 수신인은 사랑하는 엄마다. "제 선택에 거창하거나 복잡한 배경이 있는 게 아니에요. 너의 이웃을 사랑하고 너의 원수마저도 사랑하라는 하나님의 말씀을 지키며 살고 싶을 뿐이에요. 저에게 신앙은 삶의 일부가 아니라 삶 그 자체니까요." 입대를 거부하면 선재는 감옥에 가야 한다. 선재에겐 군대 아니면 감옥이라는 선택지밖에 없다. 선재는 각오가 되어 있지만 엄마의 입장은 그렇지 않다. 엄마는 사랑하는 아들을 감옥에 보낼 수 없다. 이미 남편과 큰아들까지 같은 이유로 옥살이를 했기 때문이다. 그러니 사랑하는 아들 선재만은 다른 선택을 하길 바란다. 엄마는 소리친다. "그 착한 애가 도대체 왜 감옥에 가!"

　　왜 하필 양심에 따른 병역거부자의 이야기였을까. 민용근 감독은 인권영화의 주제를 고민하는 동안 "내가 만난 양심에 따른 병역거부자들에 대한 기억이 떠올랐다"고 한다. 그는 군대도 다녀왔고, 종교인도 아니다. 평소 관련 주제에 특별히 관심을 가지고 있었던 것도 아니다. 그럼에도 우연히 알게 되고 만나게 된 양심에 따른 병역거부자들의 이야기가 자신의 마음에 어떤 파문을 일으켰다고 한다. 마침 그즈음 민용근 감독은 영화인들을 위한 팸투어에 참가해 철거를 앞둔 영등포교도소를 둘러보는 경험도 하게 된다. 그

　　　　　　　　　　총은 총을 부르고 꽃은 꽃을 부르고

날의 팸투어 동행인 중에는 공교롭게도 입대를 앞두고 양심에 따른 병역거부를 고민하던 동료도 있었다. 만약 동료 영화감독이 신념에 따라 병역을 거부하면 지금 그들이 둘러보고 있는 갑갑한 감옥에서 1년 6개월(재징집이 되지 않는 최소한의 형량이 1년 6개월이라, 판사들은 양심적 병역거부자들에게 이 같은 정찰제 판결을 내려왔다)을 보내야 할 것이다.

짧은 시간 영등포교도소를 둘러보고 나서 민용근 감독이 느낀 건 "신념을 지키기 위해 몸의 자유를 포기하는 것이 결코 쉬운 일이 아니라는 것" 그리고 "1년 6개월간 수감 생활을 하고 평생 '전과자'라는 이름으로 인생의 많은 것을 포기하면서 살아가는 것 또한 쉽게 받아들일 수 있는 일이 아니"라는 점이었다. "가만히 생각해보면 나는 그들에 대해 아는 바가 거의 없었다. 그들이 그토록 소중하게 여기는 가치가 무엇인지, 어떤 현실적인 고민과 갈등을 겪고 있는지 들어본 적도, 물어본 적도 없었다. 이제와 생각해보면 바로 그 석연치 않은 느낌이 내가 인권영화의 주제로 양심에 따른 병역거부를 선택하게 된 첫 출발점이었던 것 같다." 민용근 감독은 〈얼음강〉을 만든 뒤 영화

작업의 연장선상에서 《그들의 손에 총 대신 꽃을》이라는 책을 펴냈다. 앞의 문장은 이 책의 서문에 쓰인 내용이다. 책에는 양심에 따른 병역거부자 열두 명의 목소리가 담겨 있다. 그는 〈얼음강〉을 만들 때 그들의 '마음'이 궁금했고, 〈얼음강〉을 만들고 난 뒤에는 그들의 '목소리'가 세상에 더 드러나야 한다고 생각했다.

양심에 따른 병역거부자의 99%는 종교에 의한 병역거부이고 나머지 1%는 이외의 신념에 따른 거부라고 한다. 병역거부자의 99%가 특정 종교 즉 여호와의 증인 신자들이다. 〈얼음강〉의 주인공도 여호와의 증인 신자다. 사실 민용근 감독 역시 특정 종교에 대한 "선입견"이 있었다고 고백한다. "그들의 존재를 어떻게 받아들여야 할지 고민스러웠다. '여호와의 증인' 하면 가장 먼저 이단 혹은 광신도라는 이미지가 떠올랐다. 양심에 따른 병역거부에 대한 영화를 구상하면서도 여호와의 증인인 병역거부자들은 영화 속 인물에서 제외하기로 마음먹었다. 이들에 대한 사람들의 시선도 좋지 않은데, 이단으로 불리는 종교인들의 이야기를 영화로 만들었다가는 더 큰 거부감을 불러일으킬 것 같았다." 그는 영화의 주인공을 종교적 신념이 아닌 나머지 1%에 해당하는 평화주의 신념을 가진 인물로 설정하려고 했지만 관련 주제에 대해 공부를 하면 할수록 여호와의 증인 이야기를 피해갈 수 없다는 사실을 깨달았다.

1939년으로 거슬러 올라가는 양심적 거부 사건

한국에서 양심적 병역거부의 역사는 일제강점기로 거슬러 올라간다. 1939년 6월, 일제가 일왕 숭배와 징병을 거부한 여호와의 증인 신도들을 치안유지법 위반으로 체포해 수감한, 이른바 '등대사 사건'을 한국 최초의 양심적 거부 사건으로 본다. 이후 한국전쟁 중에도, 엄혹한 유신시대 때도 양심에 따른 병역거부자들은 존재했다. 특히 유신시대 때 병역거부로 세 차례나 투옥된 정춘국 씨의 사례를 접하며 민용근 감독은 자신의 "무지로 인한 편견"을 마주하게 되었다. 여호와의 증인인 정춘국 씨는 병역거부라는 같은 죄명으로 세 번이나 투옥, 총 7년 10개월을 복역했다. 1970년대는 양심적 병역거부자들에게 암울하고 가혹한 시대였다. 《그들의 손에 총 대신 꽃을》에도 장춘국 씨의 이야기가 나온다. 책에 따르면, 장춘국 씨는 1969년에 영장을 받았지만 집총을 거부해 대전교도소에서 10개월을 선고받고 복역했다. 출소 후 두 번째 영장이 나왔고 1974년, 또다시 병역법 위반으로 3년형을 선고받았다. 3년간의 복역이 끝나고 출소하던 날 그에게는 또다시 입영 영장이 발부되었고 세 번째로 병역거부를 하여 4년형을 선고받았다.

유신시대, 국가 폭력의 서슬은 퍼랬다. 1974년 박정희 정권은 군 입영률 100%를 달성하기 위해 사람들을 강제로 입영시켰다. 강제 입영 조치 이후에는 병역법이 아니라 군법의 항명죄가 적용돼 처벌이 강화되었다. 민용근 감독은 "반공 이데올로기가 최고조에 달했던 시대, 종교적인 신념으로 병역거부를 한다는 것은 사회적으로 자살행위와 다름없었다"고 말한다. 비상식적이고 비인간적인 일들이 버젓이 자행되던 시대, 국가라는 이름 앞에서 개인의 신념은 무참히 그리고 반복적으로 짓밟혔다. 그럼에도 꺾이지 않는 신념이 있었다. "진정 그(정춘국)가 도달하고 싶었던 것은 평화로운 세상이다. 평화를 유지하기 위해 총을 드는 불완전한 세상이 아니라, 이웃을 향한 사랑으로 완성되는 진정한 평화의 세상. 그는 그런 세상이 우리의 이상 속에만 존재하는 것이 아니라, 우리가 살아가는 현실로 도래할 것임을 증언하는 증인이 되고 싶다고 말한다."[4] 온갖 고문과 회유에도 불구하고 끝까지 지키고자 한 종교적 신념, 민용근 감독은 그것이 궁금해 왕국회관에서 다양한 사람들과의 만남을 가졌다. 그리하여 대한민국에서 가장 민감한 두 가지 이슈, 군대와 종교 이야기를 회피하지 않고 〈얼음강〉에서 다루게 된다.

"왜 죄 없는 애를 가둬요"

〈얼음강〉의 이야기는 종교적 이유로 병역을 거부하는 선재의 행동을 따라가지만, 부모와 자식의 마음을 편견 없이 고루 살핀다. 무엇이 옳다고 주장하거나 일방적으로 정보를 전달하지 않는다. 민용근 감독은 "논리적으로 설득하는 대신 감정적으로 설득하는

---

4   민용근《그들의 손에 총 대신 꽃을》

영화를 만들고 싶었다"고 한다. 양심에 따른 병역거부 문제는 유독 이성적으로 접근하기보다 감정적으로 대응하는 경우가 많기 때문이다. 영화에서 카센터 사장이 보여주는 말과 행동이 그것을 잘 보여준다. "이런 놈인 줄 알았으면 뽑지도 않았다"며 종교와 양심과 병역거부라는 말에 거부감을 드러내는 사장은 입영 당일 선재가 어디로 도망칠까 봐 카센터의 문을 잠가놓는다. 그것을 본 엄마는 화가 나 소리친다. "왜 죄 없는 애를 가둬요." 이 말은 꼭 국가를 향한 외침처럼 들린다. 영화에서 강조되는 것도 결국 유별난 자식을 둔 유별난 부모의 사연이 아니라 부모에게 미안한 자식과 자식을 도울 수 없는 부모의 애달픈 마음, 그 보편적 감정이다. "양심에 따른 병역거부라는 말을 내가 처음 접했을 때와 마찬가지로 무지에서 비롯한 편견과 선입견을 조금은 깰 수 있도록 어느 가족의 이야기를 통해 감정적으로 인물들과 연결될 수 있게끔, 그들의 마음을 이해할 수 있게끔 하고 싶었다." 영화에서 엄마와 아들은 종종 손가락 씨름을 한다. 하루는 마음이 무거운 선재가 진다. "애가 왜 이렇게 힘이 없어. 무슨 일 있어?" 엄마가 묻자 아들은 답한다. "내가 엄

총은 총을 부르고 꽃은 꽃을 부르고

마를 어떻게 이겨, 못 이기지." 그리고 입대를 앞두고 또다시 두 사람은 손가락 씨름을 한다. 엄마는 말한다. "날 이겨. 날 이기면 가게 해줄게." 자식도 부모를, 부모도 자식을, 감히 이길 수 없다. 그렇게 "법이 바뀌지 않는 한" 양심에 따른 병역거부자의 가족은 모두가 고통스러운 싸움을 이어가게 된다.

〈얼음강〉의 마지막 장면에는 이런 자막이 뜬다. "종교적 평화주의적 신념 등의 이유로 병역 거부를 선택한 젊은이들이 지금도 매년 700명 이상 감옥으로 보내지고 있다. UN 인권이사회는 한국 정부에 대체복무제 도입을 강력히 권고하고 있지만 아직 받아들여지지 않고 있다." 〈얼음강〉이 개봉했던 2013년, 그러니까 지금으로부터 10년 전만 해도 양심에 따른

병역거부자들에게는 군대 아니면 감옥이라는 선택지밖에 없었다. 하지만 10년이면 강산이 변한다고, 정말로 10년 사이에 더디지만 중요한 변화가 생겼다. 양심에 따른 병역거부자들을 위해 군대와 감옥 외에 제3의 대안을 조속히 마련해야 한다는 목소리가 '대체복무제' 도입으로 이어진 것이다. 2018년은 한국에서 계란으로 바위치기와 같은 마음으로 투쟁해온 양심에 따른 병역거부자들에게 뜻깊고 소중한 해였다. 2018년 6월 28일 헌법재판소는 대체복무제를 규정하지 않은 병역법 제5조 제1항에 대해 헌법불합치 결정을 내렸다. 그리하여 2020년부터 양심에 따른 병역거부자들을 위한 대체복무제가 시행되었다. 양심의 자유와 국가의 의무가 충돌할 때 국가는 법적 처벌 외에 다른 방안을 마련해 국민의 양심의 자유를 보호해야 한다는 해석을 내놓은 것이다. 그날 민용근 감독은 헌법재판소 앞으로 향했다. 영화를 만들고도 한참의 시간이 지난 때였지만 "뉴스를 보다가 문득 그 현장에 가보고 싶다는 생각이 들었다". 초조한 마음으로 헌법재판소 앞에 서 있던 그는 헌법 불합치 결정이 난 것에 안도했다. "그 후로 마음이 조금 편해진 느낌이었

총은 총을 부르고 꽃은 꽃을 부르고

다." 이어 2018년 11월 1일엔 대법원에서 종교적 신념에 따른 병역거부 사건에 처음으로 무죄 판결을 내렸다. 1939년 이래 지난 80년 동안 총을 드는 대신 감옥을 택한 양심적 병역거부자의 수는 1만 9,700여 명에 달했는데, 더 이상 그 수가 늘어나지 않게 된 것이다.

작지만 줄기차게 이어져온 걸음들, 그러나

우리 사회를 바꾼 이 같은 중요한 법적 판결과 결정이 있기까지, 양심에 따른 병역거부자들의 인권을 보장해야 한다는 목소리는 줄기차게 있어 왔다. 2002년 1월 당시 박시환 서울남부지법 부장판사는 판사로서는 처음으로 양심에 따른 병역거부 처벌의 규정이 되는 병역법 제88조에 대해 헌법재판소에 위헌심판을 제청했다. 한 병역거부자가 "대체복무를 통한 양심 실현의 기회를 주지 않는 병역법 규정이 헌법에 위배된다"라며 낸 위헌법률심판 제청을 받아들인 것이다. 박시환 판사는 결정문에서 "헌법상 규정된 병역 의무와 기본권인 사상, 양심 및 종교의 자유가 충돌할 경우 양자는 적절히 조화, 병존해야 한다.

병역거부자에 대한 예외 없는 처벌을 규정한 현행 병역법 제88조는 양심에 따른 병역거부자의 존엄과 가치, 행복추구권을 침해할 가능성이 있다"라고 밝혔다. 병역법 88조 1항은 현역입영 또는 사회복무요원 소집 통지서를 받은 사람이 정당한 사유 없이 입영일이나 소집기일부터 3일이 지나도 불응할 경우 3년 이하의 징역에 처하도록 규정하고 있다. 알려졌다시피 2년 뒤인 2004년 8월 헌법재판소는 7(합헌) 대 2(위헌)의 의견으로 양심에 따른 병역거부 행위를 처벌하는 법이 헌법에 위배되지 않는다는 최종 결정을 내렸다. 종교적 신념이나 양심에 따른 입영거부가 '정당한 사유'가 아니라는 결정이었다. 2011년과 2018년까지 세 차례에 걸쳐 헌법재판소는 해당 병역법은 합헌이라 결정했지만, 2002년의 위헌법률심판 제청과 2004년 서울 남부지방법원 이정렬 판사가 양심에 따른 병역거부자들에게 최초로 1심에서 무죄 선고를 내린 일 등은 대체복무제 도입을 이끈 작지만 큰 걸음이 아닐 수 없다.

현재 양심에 따른 병역거부자들은 '대체역의 편입 및 복무 등에 관한 법률'(대체역법)에 따라 교정시설에서 합숙 형태로 36개월의 대체복무를 한다. 하지만 육군 현역병의 복무기간인 18개월보다 두 배 길게 복무하는 것이 징벌적이라는 의견도 있다. 2023년 4월 병무청 대체역심사위원회는 병역거부자의 대체복무 기간을 36개월에서 27개월로 줄이는 내용을 골자로 한 대체복무 개편방안을 병무청에 전달했고, 5월엔 국가인권위원회가 현행 합숙 복무기간을 6개월 범위에서 조정하라고 국방부에 권고했다. 2018년 6월 헌법재판소가 헌법불합치 결정을 내릴 당시 결정문에는 이미 대체복무가 징벌이 되어서는 안 된다는 내용을 담고 있다. "대체복무기간이나 고역의 정도가 과도해 양심적 병역거부자라도 도저히 이를 선택하기 어렵게 만드는 것은 대체복무제를 유명무실하게 하거나 징벌로 기능하게 할 수 있다. 또 다른 기본권 침해 문제를 발생시킬 수 있다는 점에 유의할 필요가 있다." 대체복무는 말 그대로 종교적, 평화주의적 이유로 총을 들지 못하겠다고 한 사람들에게 다른 방법으로 병역의 의무를 이행할 수 있도록 한 법이다. 대체복무의 도입으로 양심적 병역거부자들은 더 이상 법을 위반한 '죄인'으로 살지 않아도 됐다. 그런데 대체복무가 징벌적 수단이 된다면 이 사회가 그들을 여전히 죄인으로 여긴다는 것과 다를 바 없다. 대체복무제가 도입되었음에도 양심에 따른 병역거부자들은 여전히 자신의 양심과 신념을 증명하고 수호하기 위해 싸우고 있다.

총은 총을 부르고 꽃은 꽃을 부르고

민용근 감독은 양심적 병역거부와 관련한 논의의 끝에서 우리가 기억해야 할 것은 평화라고 말한다. "궁극적으로는 모든 사람들이 총을 내려놓는 것으로까지 나아가야 한다." 책 《그들의 손에 총 대신 꽃을》에서도 그는 이렇게 썼다. "양심에 따른 병역거부라는 매개를 통해 우리는 인간의 신념에 대해, 평화와 전쟁에 대해, 징병제와 군대에 대해, 인권에 대해, 가장 인간다운 삶이 무엇인지에 대해 새로운 시각에서 생각해볼 수 있다." 총을 들지 않겠다는 것은 전쟁을 하지 않겠다는 것이고 평화를 원한다는 것이다. 결국 병역 거부는 평화로 나아가는 말이 되어야 한다. 총은 총을 부르고 꽃은 꽃을 부른다. 역사가 그것을 증명한다.

그러나 세계는 여전히 전쟁 중이다. 러시아의 우크라이나 침공에 이어 팔레스타인 무장정파 하마스와 이스라엘까지 서로를 향해 총을 겨누고 있다. 이럴 때마다 전쟁에 대비하기 위해 강해져야 한다는 논리가 힘을 얻는다. 최근 국군의 날 기념식에서도 대통령은 "강한 군대만이 진정한 평화를 보장할 수 있다"고 말했다. 하지만《그들의 손에 총 대신 꽃을》에 실린 임재성 변호사의 말처럼 "모든 전쟁의 순간마다 전쟁을 거부했던 이들이 있었"고 "더 많아져야 하는 것은 전쟁이 아니라 그 전쟁을 거부했던 실천"이다. 그 어느 때보다 전쟁을 거부하는 목소리와 실천이 필요한 때다.

이주현

〈두한에게〉
(Dear Duhan, 2013, 35분, 12세 이상 관람가)
감독: 박정범
장르: 드라마

9장

장애를
은유가 아닌
실제로 표현하기

"왜   '장애인 흉내'를
내는 것에
박수 치는가"

박정범 감독 주요 필모그래피

〈복서 김예준〉(2021) 〈이 세상에 없는〉(2019) 〈파고〉
(2019) 〈땡중〉(2015)
〈산다〉(2014) 〈어떤 시선〉 중 〈두한에게〉(2013) 〈무산일
기〉(2010) 〈125 전승철〉(2008)

눈이 보이지 않지만
작품을 보고 싶습니다

《눈이 보이지 않는 친구와 예술을 보러 가다》라는 책이 있다. 일본에서 닛타 지로 문학상, 가이코 다케시 논픽션상 등을 수상한 저자 가와우치 아리오가 선천적 전맹인 시라토리 겐지와 함께 일본 각지의 미술관을 방문하여 다양한 작품을 함께 감상한 기록을 담았다. 시라토리 겐지는 시각의 기억이 거의 없다. 다빈치 전시를 계기로 미술작품 관람에 관심을 갖게 된 그는 한 미술관에 전화해 "눈이 보이지 않지만 작품을 보고 싶습니다"라고 안내를 요청했고, 그것이 그의 미술관 방문의 시작이었다. 시각예술인 미술 작품을, 시각적 도움 없이 감상할 수 있을까? 손으로 만지지 않는다면(그리고 대개는 손으로 만져도) 혼자는 불가능하며, 작품을 만지는 행위는 금지되어 있다. 시라토리 겐지는 동행인이 작품에 관한 시각적인 정보를 주면 그에 관한 여러 이야기를 나누며 작품을 경험하는 방식을 사용한다. 뉴욕현대미술관에서 제창한 뒤 세계 각국에서 활용한다는 '대화형 감상'과 흡사한 방식이라고 한다. 장애인과 비장애인이 함께 발견할 수 있는 감각과 지성의 세계가 이 책을 통해 소개된다. 지금까지 우리가 무엇을 봤는지 다시 자문하게 만들 정도로 즐거운 체험을 한다고 해도 과언이 아닐 정도다. 이 책을 읽으며 떠올린 소설이 하나 있다. 레이먼드 카버의 《대성당》이다. 화자는 아내의 오랜 친구인 로버트를 만나게 된다. 시각장애인인 로버트가 화자의 집을 방문한 날, 아내는 먼저 잠들고, 화자와 로버트는 TV를 보며 술을 마신다. 그들이 본 프로그램은 중세 성당에 관한 다큐멘터리인데, 로버트는 화자에게 대성당을 설명해달라고 한다. 설명하기가 어렵다는 사실에, 두 사람은 같이 그림을 그리기로 한다. 화자가 로버트의 손에 손을 얹고. 《대성당》의 줄거리는 이게 전부다. 눈을 감고 손으로 대성당을 그리면서, 이전에 경험해본 적 없는 방식으로 세상을 감각한다. 장애인과 비장애인이 동반하여 예술을 체험함으로써 넓어지는 세계를 보여주는 작품들이다.

어릴 적 친구에게 못다 한 말, 〈두한에게〉

　　박정범 감독의 단편영화 〈두한에게〉는 두 소년
의 우정이라는 테마를 중심에 두고 이야기를 진행시
킨다. 뇌병변 장애를 가진 소년 두한은 학교생활에 어
려움을 겪고 있다. 그의 유일한 친구인 철웅은 어려
운 가정 형편 때문에 곤란이 이만저만이 아니다. 박
정범 감독은 어렸을 적 자신의 경험을 바탕으로 영화
를 만들었다. 박정범 감독의 중학교 1학년 때 짝이 뇌
병변 장애가 있는 두한이라는 친구였다. 그 친구에게
못다 한 말을 영화로 하고 싶어 편지를 쓰는 마음으로
만든 영화가 〈두한에게〉이며, 그래서 주인공 이름도
그 친구의 이름으로 지었다. 비장애인인 철웅이는 두
한이가 하는 말을 곧잘 알아듣지만, 영화의 다른 인물

들도, 나아가 관객들도 두한의 말을 알아듣기 어렵다. 하지만 박정범 감독은 두한이 말할 때 자막 처리를 하지 않았다. 누구나 처음에는 두한의 말을 알아듣기 어려워하지만 영화가 끝날 즈음에는 알아들을 수 있게 된다. 그것은 박정범 감독 자신의 경험이기도 하다. 처음부터 잘 알아들었던 것은 아니다. 어린 마음에 친구를 다그친 적도 있었다. 장애인과 지내본 적이 없었기 때문에, 친구가 잘 배우고 잘 노력하면 잘 말할 수 있을지도 모른다고 생각한 적도 있었다. 그 친구가 언제나 최선을 다하고 있다는 걸 알게 되기까지 시간이 걸렸다는 고백이다.

〈두한에게〉에서 두한은 철웅에게 많은 것들을 의지한다. 다른 친구들로부터 배척받는 두한은 철웅의 우정에 기댈 수밖에 없는 상황이다. 철웅은 두한의 집에 놀러갔다가 그의 집에서 태블릿PC를 보고 충동적으로 훔치고 만다. 경제적으로 어려움을 겪는 가정에서 자란 철웅에게 모든 게 넉넉한 두한의 집은 부러운 장소가 된다. 자본주의 사회에서 경제력을 갖추지 못했다는 것이 갖는 함의를 보여주는 설정이기도 하다. "제가 압구정 토박이로 살아왔지만 저희 집이 진짜 찢어지게 가난했어요. 저는 교복 자율화였기 때문에 사복을 입고 학교에 가야 했는데, 그게 너무 싫었어요. 옷이 너무 미워지니까요. 다른 애들과 달리 저는 맨날 동대문 시장에서 옷을 사 입었거든요. 아마 그래서 다른 아이들의 곱지 않은 시선 아래 두한이가 놓였던 것을 싫어했고 도와주고 싶어 했다는 생각이 들어요." 촌지가 버젓이 존재했던 시절, 가정형편이 어려운 학생들은 억울한 일을 겪어도 호소할 곳이 마땅치 않았다. "저도 이제 아이를 키우는데, 이제는 유치원에서부터 계급이 나뉘어요."

두한 역의 임성철 군과 철웅 역의 김한주 군이 촬영현장에서 가까워지고 함께 연기하게 되는 과정은 장애인과 비장애인의 우정의 가능성을 제시하는 것처럼도 보인다. 임성철 군은 시나리오를 보고 영화를 해보고 싶다고 이야기한 경우고, 김한주 군은 박정범 감독의 중학교 시절과 비슷한 성격이어서 캐스팅하게 되었다고 한다. 박정범 감독은 둘을 캐스팅한 뒤 2박 3일간 셋이 함께 시간을 보내며 촬영할 장소를 미리 보여주었고, 나중에는 영화를 함께 보러 가기도 했다. 그렇게 둘은 서서히 가까워졌고, 영화에서 자연스럽게 친구 연기를 할 수 있게 되었다. 덧붙이자면, 두한을 연기한 임성철 군이 유튜브에서 〈두한에게〉의 리뷰를 남긴 영상도 볼 수 있다.[5]

주인공 두 배우(현장사진)

〈두한에게〉 이후 10년,
시선의 변화들

2013년 작인 〈두한에게〉 속 학교의 풍경은 이제 얼마나 달라졌을까. 2021년 개봉한 다큐멘터리 영화

---

5   유튜브 "어떤시선 두한에게 리뷰 PART 1, PART2" https://www.
     youtube.com/watch?v=MHJOzP8cu1M&t=23s

총은 총을 부르고 꽃은 꽃을 부르고

〈학교 가는 길〉은 발달장애인의 교육권부터 공동체의 가치가 충돌하는 과정까지를 두루 살피는 작품이다. 전국 특수학교 재학생의 절반가량은 왕복 1시간에서 4시간을 통학하는 데 쓴다. 〈학교 가는 길〉에 나오는 고등학생 지현이의 통학 시간은 왕복 3시간이다. 지현이의 어머니인 이은자 씨는 강서장애인부모회를 만들고 1대 회장을 지내며 아이들의 권리를 지켜주기 위해 직접 나섰다. 서울 강서구의 특수학교 신설을 두고 벌어지는 사건들을 통해 한국 사회가 장애를 대하는 혐오적이고 차별적인 시선이 드러난다. 지역주민들은 장애인 특수학교가 혐오시설이라며 한방병원을 지어야 한다고 주장하고, 장애인 부모회의 어머니들은 주민토론회에서 무릎을 꿇으며 호소했다. "지나가다가 때리시면 맞겠습니다. 그런데 학교는, 학교는 절대로 포기할 수 없습니다"라는 절박한 호소는 사회적 공분을 사기도 했다. 뉴스를 통해 널리 알려진 이 장면으로 인해 정치권에서 특수학교 문제에 대한 관심을 갖게 되었고, 서진학교는 2020년에 개교하게 되었다. 서진학교는 서울에서 17년 만에 지어진, 발달장애 학생을 위한 특수학교다. 〈학교 가는 길〉에 출연한 김남연 씨는 서진학교에 앞서 동대문발달장애인훈련센터 설립 투쟁을 했다. 그땐 주민들의 반대가 훨씬 심했다. 야간 토론회를 하는데 주민들이 횃불을 들고 나와 반대했을 정도였다고 한다.[6]

장애인이 학교에 가기 위해서든 직업을 얻어 출퇴근을 하기 위해서든 부딪히는 문제는 장애인 이동권 이슈와 연관되어 있다. 인권위원회에서 만든 〈여섯 개의 시선〉 중 장애인 이동권을 다룬 단편 〈대륙 횡단〉에는 뇌성마비 장애인인 배우 김문주 씨가 출연한다. 문주는 일을 하고 싶지만 장애 때문에 외출부터가 어렵다. 18년 만에 외출한 문주 씨가 좋아하는 사람에게 고백을 하고, 친구를 만나는 등의 일상을 보내는 열한 개의 에피소드를 보여주는 작품인데, 구본권, 김민아 등이 공저한 《별별차별》에는 〈대륙 횡단〉이 만들어지고 10년이 지나 서른 살이 된 김문주 씨를 다시 만나 나눈 이야기가 실려 있다. 영화의 마지막 장면에서 광화문 네거리를 횡단하는 장면을 찍은

---

6   〈씨네21〉 1304호, [인터뷰] '학교 가는 길' 이은자·정난모·조부용·장민희·김남연·김정인 감독 - 다름으로 차별받지 않기를

좋은 총을 부르고 꽃은 꽃을 부르고

이유에 대한 답변이다. "그동안 장애인들이 아무것도 안 하고 있었기 때문에 안 됐다고, 무엇인가 행동해야 한다고 생각했기 때문이죠. 그전까지 장애인을 시혜나 동정의 대상으로 생각했다면, 장애인 스스로 주체적으로 일어서는 모습을 통해 비장애인들의 시각에 변화를 가져왔다고 할까요?"

장애에 대한 한국 사회의 인식 변화를 가져온 드라마들도 생겨났다. 큰 사랑을 받은 〈이상한 변호사 우영우〉가 자폐인에 대한 인식을 바꾸었다고 평가받았는가 하면, 〈우리들의 블루스〉에는 캐리커처 작가이자 다운증후군 배우인 정은혜 씨가 출연했다. 은혜 씨가 처음 그림을 그린 계기는 성년이 되면서 갈 시설이 없어진 은혜 씨가 하루 종일 자기 방에만 틀어박혀 있었기 때문이다.[7] 사회적 관계가 단절된 뒤, 시선 강박부터 조현병까지 고생하는 은혜 씨를 본 어머니 장차현실 씨는 은혜 씨를 살리려고 화실로 불러냈고, 그 이후 지금까지 은혜 씨는 꾸준히 캐리커처를

---

7   〈국민일보〉 2022년 6월 6일 자, [인터뷰] "현실씨와 은혜씨, 30년간의 '우리들의 블루스'"

그리고 있다. 〈우리들의 블루스〉 촬영 마지막 날, 은혜 씨가 제작진 50여 명의 얼굴을 모두 그려 선물한 일은 잘 알려져 있다. 감독님부터 분장실 스탭까지, 얼굴을 전부 사진으로 찍어서 수시로 그림을 그린 결과물이라고 했다. 손가락에 물집이 잡힐 정도의 일정이었다. 정은혜 씨의 이야기는 《은혜 씨의 포옹》이라는 제목의 에세이로 선보이기도 했다. "사람을 안아주는 게 좋아요. 사람을 안으면 제가 따뜻해지죠. 따뜻하면 기분이 좋아요. 포옹은 사랑이에요"라는 단정한 문장을 읽고 있으면, 은혜 씨의 그림이 유달리 따뜻하게 느껴지는 것이 우연은 아니라는 생각이 든다. 〈우리들의 블루스〉가 이룬 성취 중에는 (비장애인 배우가 장애인을 연기하는 게 아니라) 다운증후군인 배우가 다운증후군인 극중 인물을 연기했다는 점을 빼놓을 수 없다. 〈두한에게〉가 그랬듯 말이다.

왜 '장애인 흉내'를 내는 것에 박수 치는가?

그럼에도 불구하고, 장애인 캐릭터가 등장하는 많은 유명한 작품들에서 장애인 캐릭터는 비장애인

총은 총을 부르고 꽃은 꽃을 부르고

배우의 연기력을 입증하는 역할을 하기도 한다. 〈길버트 그레이프〉에서 레오나르도 디카프리오가 그랬고(아카데미 남우조연상 후보), 〈레인맨〉에서 더스틴 호프먼이 그랬고(아카데미 남우주연상 수상), 〈사랑에 대한 모든 것〉에서 에디 레드메인이 그랬다(골든 글로브 시상식 드라마영화 부문 남우주연상 수상). 근위축성 측색 경화증을 앓고 있는 장애인 스티븐 호킹 역할로 에디 레드메인이 남우주연상을 수상하자, 영국 일간지 〈가디언〉에는 비판적인 논조의 칼럼이 실렸다. 기사는 제목부터 논쟁적이다. "우리는 '흑인 흉내'를 내는 배우는 받아들이지 않으면서, 왜 '장애인 흉내'를 내는 것에는 박수 치는가?"[8] 이 글을 쓴 칼럼니스트 프란시스 라이언은 "만약 당신이 홀로코스트에 대한 영화를 만든다면, 당신이 오스카상을 받는 것은 따놓은 일일 것이다"라고 말한 대사를 인용하는 것으로 글을 시작하면서, "이는 장애에 관한 영화에도 똑같이 얘기할 수 있다. 당신이 비장애인 배우라면 말이다"라고 지적

---

[8]   유튜브, I'm not your inspiration, thank you very much | Stella Young https://www.youtube.com/watch?v=8K9Gg164Bsw

했다. "두 경우 모두, 배우들은 소수자 집단의 일원으로 보이기 위해 그들의 외양을 바꾸는 데 소품이나 대체물을 쓴다. 두 경우 모두 소수자를 흉내 내기 위해 목소리나 몸을 조작한다. (…) 그들은 진짜 그 (소수자적) 특성을 가진 이들로부터 직업을 빼앗아가고, 그렇게 함으로써, 영화산업에서 이들 집단이 과소대표 되는 현실을 영속화한다." 이 기사에서는 절단장애를 가진 극작가 크리스토퍼 신의 말을 인용한다. "대중문화는 장애를 실제 사람에게 벌어질 수 있는 일로 여기기보다는 하나의 은유로 받아들이는 데에 관심이 있다" 비장애인 배우가 장애를 흉내 내면 영화나 드라마의 제작에는 훨씬 수월할뿐더러, 관객들이 배우의 연기력에 감탄하고, 나아가 장애인을 동정하고 그를 슬픔과 감동의 주인공으로 받아들이기 쉽게 만든다. 그가 처한 작품 속 현실은 '진짜' 현실이 아니기 때문이다. 지금 한국 사회에는 장애인들에게 장애는 작품 속 주인공이 극복해야 하는 방해물이 아니라 영화가 끝나도 계속 살아가야 하는 현실이라는 사실을 인지하는 것이 필요하다.

"나는 당신에게
영감을 주는 도구가 아닙니다"

장애를 가진 주인공이 등장하는 감동적인 이야기들은 꾸준히 만들어진다. '장애를 뛰어넘어' 혹은 '장애에도 불구하고' 서로 화합하는 뭉클한 서사들 말이다. 하지만 장애인은 '장애를 뛰어넘'거나 '장애에도 불구하고'라는 전제 하에서 사회에 존재해야만 하는 것은 아니다. 장애인으로 존재하면서도 사회구성원으로 존재하기에 대한 중요성에 대해 말하는 이가 있다. 호주의 스텔라 영은 작가이자 코미디언인데, 기침만 해도 뼈가 부러질 수 있는 희귀 유전병 때문에 평생을 휠체어에서 살았다. 그의 장애는 그가 지닌 개성의 일부분이지 그를 규정짓는 전부가 아니다. 이 차이에 대해 그는 멋진 영상을 찍은 바 있다. "I'm not your inspiration, thank you very much"라는 제목의 TED 강연[9]에서 자신의 삶에 대한 이야기를 들려준다. 스

---

[9] 〈비마이너〉 2015년 2월 12일 자, "장애인 연기하는 '비장애인' 배우, 왜 박수 받아야 하나?"

텔라 영이 열다섯 살이었던 때, 그가 살던 지역 주민이 찾아와서는 지역공로상에 스텔라를 추천하고 싶다는 말을 전했다. 부모님의 첫 반응은 참 잘됐다는 것이었다. 그러고는, "그런데 한 가지 걸리는 게 있어요. 제 딸은 사실 어디에도 공로를 세운 적이 없거든요." 부모님 말이 맞았다. 공로를 세웠다기보다는, 학교를 파한 뒤 어머니의 미용실에서 조용히 시간을 보내다가 저녁에는 좋아하는 드라마를 보는 일상이 전부였으니까. 장애라는 요소를 제외한다면 공로라고 부를 만한 일 근처에도 간 적이 없었다. 시간이 흘러 스텔라 영은 교사가 되어 고등학교에서 법학 수업을 맡게 되었다. 수업이 시작되고 20분쯤 흘렀을 때, 한 학생이 강연은 언제 시작하는지 질문했다. 학생은 장애를 가진 사람들이 학교에 오면 "감동을 주는 말"을 담은 동기부여 강연을 한다는 사실을 떠올리고는 그런 질문을 한 것이다. 그 학생은 장애인들을 영감을 주는 대상으로만 경험해 보았던 것이다. "이 아이의 잘못이 아니에요. 많은 사람들에게 장애인들은 선생님이나 의사나, 네일아티스트를 하지 않죠. 우리는 실제적인 존재가 아닙니다. 영감을 주기 위해 있을 뿐입

좋은 총을 부르고 꽃은 꽃을 부르고

니다." 스텔라 영은 영감을 주기 위해 강단에 선 것이 아니라며, 우리가 그동안 거짓말을 듣고 살았다고 지적한다. "장애는 나쁜 것이 아닙니다. 그리고 사람을 특별하게 만들어주는 것도 아니에요." SNS에서 심심찮게 볼 수 있는, 장애를 '극복'한 사람들의 사진에 감동적인 문구("삶의 유일한 장애는 나쁜 태도이다")가 덧붙여진 이런 이미지들을 스텔라 영은 "감동 포르노"라고 일축한다. '포르노'라는 단어는 의도적으로 사용한 것으로, "한 그룹의 사람들을 물건 취급해서 다른 그룹의 사람들에게 이득을 주려고 하기 때문"이다. 즉, 장애인들을 물건 취급해서 비장애인들에게 이득을 주려는 시도다. 스텔라 영은 9분가량의 짧은 강연에서, "나는 당신에게 영감을 주는 도구가 아닙니다"라고 단호하게 말한다.

새로운 기술을 소개하는 영상들에서도 장애는 쉽게 감동을 주는 '설정'으로 전락하곤 한다. 소설가 김초엽은 김원영 변호사와 공저한 에세이 《사이보그가 되다》에서 이러한 문제에 대해 언급한 적이 있다. 유튜브에서 'Hearing for the first time'이라고 검색하면 청각장애를 가진 사람들이 보청기와 인공 와우를 통해 처음으로 소리를 접하는 순간의 영상을 (너무) 많이 볼 수 있다. 한국 여성 농인 단체 '세상을 바꾸는 농인들'은 이러한 영상들에 대해 "보청기와 인공 와우를 통해 처음으로 소리를 접한 청각장애인의 감정과 반응에는 개인차가 있다"라고 밝힌 적이 있다. 김초엽의 설명은 이렇다. 처음 소리를 들었을 때의 감정이 청인들이 기대하듯 기쁨이 아니라 공포일 수도 있다고. 그 영상에서 일방적인 기쁨과 감동을 읽어내는 것은 비장애중심주의적인 태도라고 말이다.

박지인 감독의 단편영화 〈매달리기〉에서는 이런 문제점에 대한 멋진 해결책을 보여준다. 보호종료청년의 이야기를 그린 이 영화가 시작하면 시설에서 청소년을 지도하는 선생님이 서둘러 시설에서 나가 자립하려는 주인공에게 조금 더 시간을 갖고 신중하게 생각할 것을 권유하는 장면이 나온다. 이 선생님을 연기하는 배우는 《실격당한 자들을 위한 변론》을 쓴 작가이자 변호사인 김원영이다. 1급 지체장애인인 그는 이 영화에서 '장애인' 역할이 아니라 '선생님' 역할을 맡았다. 그가 장애인이라는 서술은 영화에서 따로 중요하게 다루어지지 않는다. 휠체어를 탄 선생님일 뿐이다. 장애인이 비장애인과 함께 어울려 살아가며 서로의 삶에 개입하는 전개 속에서 우리는 장애와 비장애의 이분법적 구분이 아니라 여러 면에서 제각기 다른 위치에 섰을 뿐인 두 사람을 만난다.

이다혜

⟨과대망상자(들)⟩

(The Delusionist, 2015, 36분, 12세 이상 관람가)

감독: 신연식

장르: 드라마

10장

모르는 척하고 싶겠지만,
당신도
감시당하고 있어요

"욕망 자체를
거세당한 세대"

신연식 감독 주요 필모그래피

〈1승〉(2023) 〈카시오페아〉(2022) 〈플레이 노 모어〉(2016)
〈프랑스 영화처럼〉(2015) 〈시선 사이〉 중 〈과대망상자
들〉)(2015) 〈조류인간〉(2014) 〈배우는 배우다〉(2013) 〈러
시안 소설〉(2012) 〈페어러브〉(2009)

〈과대망상자(들)〉과 감시 사회

여기 한 남자가 있다. 남자의 이름은 우민(김동완). 그는 오래 사귀지도 않은 여자친구에게 이별을 고하는 중이다. "내 옆에 있으면 위험해져." 그는 자신이 감시받고 있다고 생각한다. 사실 여자친구조차 자신을 감시한 것은 아닌지 의심스럽다. '커피를 좋아하지 않는다고 얘기한 적이 없는데 어떻게 그 사실을 알고 있지? 입 밖으로 꺼낸 적 없는 속마음을 어떻게 아는 거야?' 햄버거 가게에 출근할 때도 그는 모자에 마스크로 얼굴을 가리고 주위를 세심히 살피며 자전거 페달을 밟는다. 일터에서도 매사 의심의 끈을 놓지 않는다. 거래처에서 평소와는 다른 햄을 보내온 것이 의심쩍다. 하지만 잘 알지 못하는 사람과의 대면 접촉은 최소화하는 것이 좋다는 생각으로 거래처 확인 전화는 직원에게 시킨다. "눈에 띄어선 안 돼. 대한민국에선 어떤 일이든 일어날 수 있고 어떤 일이든 자연재해로 위장할 수 있어. 그들의 눈에 띄지 않으려면 젖은 낙엽처럼 살아야 한다." 중년 남자의 내레이션이 들려오면서 점점 이 남자의 정체를 파악하기 힘들어진다. 이 남자는 지나치게 예민한 걸까. 망상에 빠져 있는 걸까. 아니면 정말 누군가로부터 감시를 받고 있는 걸까.

신연식 감독의 단편영화 〈과대망상자(들)〉은 거대한 농담 같은 영화다. 감시사회 속 개인의 불안을 과대망상과 연결 지으면서 처음엔 사람을 의심하게 하고 그 다음엔 사회와 시스템을 의심하게 만든다. 보이지 않는 시스템을 의심하는 사람의 이야기 혹은 그런 사람을 과대망상자로 치부하고 배격하는 사회에 대한 이야기인 이 영화는, 가까이서 보면 비극이지만 멀리서 보면 희극인 우리의 삶을 멀찍이서 관찰하도록 유도한다. 그래서 자주 CCTV의 시점, 전지적 시점을 빌려온다. 그러한 관찰자 시점은 '감시당하고 있다'는 느낌을 강조하기 위한 것도 있지만 나무를 보지 말고 숲을 보라는 의도를 담은 것이기도 하다. "예전에는 사찰과 감시라고 했을 때 감시하는 권력자와 감시받는 피권력자의 관계가 명료했다. 사찰의 목적과 대상도 이른바 국가 안보에 위협이 되는 사람들이라는 식으로 분명했다. 관계성과 대상이 명료했다. 그런데 지금은 거대한 시스템과 매커니즘이 지배하는 시대다. 이 매커니즘을 움직이는 게 무엇인지 인식하기 쉽지 않다. 점점 거대한 시스템 안에서 우리의 행동 패턴과 삶의 방향이 결정된다. 그런데 그 시스템이라는 것은 눈에 보이지 않는다." 신연식 감독이 말한 것처럼 〈과대망상자(들)〉은 국가가 민간인을 사찰하고 사상을 검열하고 자유를 억압하던 시대에 대한 이야기가 아니다. 물론 21세기에도 각국의 정보기관은 바쁘게 감시망을 돌려 치열하게 정보전을 펼치며 사찰을 이어가고 있지만, 영화가 집중하는 것은 고도화된 자본주의 사회에서 하나의 소비단위로 설정된 개개인이 시스템의 설계에 예속된 채 자신의 정체성을 알지도 못하고 살아가는 현실이다.

우리는 사실상
싸워야 할 대상을 잃어버렸다

　　감시사회를 이야기할 때 빼놓을 수 없는 인물
이 벤담과 푸코다. 18세기 영국 철학자 제레미 벤담
은 감시의 효율성을 극대화환 원형 감옥 팬옵티콘
(Panopticon)을 고안한 인물로 유명하다. '모든 것을 본
다'는 뜻을 지닌 팬옵티콘은 중앙의 감시탑에서 죄수
들의 방을 내려다볼 수 있도록 설계되어 있다. 소수의
감시자가 다수의 죄수들을 감시할 수 있는 이 구조는
최소한의 비용으로 최대한의 감시를 가능하게 하는
효율을 발휘한다. 더불어 감시탑의 조명은 어둡고 죄
수들의 방은 밝아 죄수들은 감시자를 볼 수 없다. 감
시자의 존재가 드러나지 않음으로써 보이지 않는 지
배와 일상적 감시가 가능해졌다. 감시의 새로운 매커
니즘을 발명한 것이다. 한편 벤담의 팬옵티콘을 세상
에 널리 알린 인물은 프랑스의 철학자 미셸 푸코다.
푸코는 자신의 유명한 저서 《감시와 처벌》에서 팬옵
티콘의 매커니즘을 통해 권력이 점점 교묘히 개인을
감시하고 통제하게 되었다고 말한다. 과거의 권력이

공개 처형을 통해 대중에게 두려움을 안겨주는 방식으로 힘을 과시했다면, 근대화된 권력은 특히 감옥의 탄생을 통해 개개인의 신체를 효과적으로 통제 가능한 것으로 인식하게 만들었다. 권력의 작동 방식이 달라진 것이다. 무엇보다 감시와 처벌을 통해 자발적으로 규율을 따르는 시민을 만들었다는 것이 중요하다.

21세기 정보화 시대가 되면서 감시의 매커니즘은 또 한번 변화를 맞이한다. 디지털 사회에서 우리는 사실상 싸워야 할 대상을 잃어버렸다. 앞서 신연식 감독이 이야기한 것처럼 과거에는 우리를 감시하고 억압하고 통제하는 대상이 비교적 분명했지만 지금은 누구를 상대로 저항해야 하는지 알기 어려워졌다. 누가 우리를 감시하는가. 누가 우리의 자유를 속박하는가. 누가 우리를 조종하고 길들이려 하는가. 우리가 싸워야 할 것이 시스템이라면, 더더욱 한 개인으로서 시스템에 저항하기란 쉽지 않다. 영화에서 주인공 우민은 해직 교사였던 아버지의 죽음 이후 누군가 자신을 감시하고 있다 여기며 세상을 의심하기 시작한다. 아마도 우민의 아버지는 불경한 사상을 지녔다는 이유로 국가의 사찰 대상이 되었을 것이다. 국가로부터 감시받으며 살아온 아버지는 어린 아들에게 이런 이야기를 들려준다. "그들의 눈에 띄지 않으려면 젖은 낙엽처럼 살아야 한다. 분노하지도 말고 실망하지도 말고. 어떤 일이 벌어져도 가만히 숨만 쉬면서 젖은 낙엽처럼 살아가야 된다. 때리면 맞고 찌르면 피하고. 절대 억울하다는 생각은 하지 마." 그 후로 우민은 세상의 감시를 피해 눈에 띄지 않게 살아가려 한다. 그런데 아버지는 왜 아들에게 싸우라 하지 않고 싸우지 말라고 하는 걸까. '튀지 말고 남들처럼 살아라.' 신연식 감독은 한국 사회의 어른들이 자주 하는 이 말에 "일제의 잔재와 전체주의적 사고"가 담겨 있다고 본다. 하지만 반항하지 말라면 더 반항하고 싶어지는 법. 무엇보다 우민과 아버지의 세대는 다르다. 영화는 아버지가 살았던 시대와 우민이 살아가는 시대는 다르다고 말한다.

욕망 자체를 거세당한 세대

우민의 특별한 조심성이 그를 유별나 보이게 만든 것인지, 어느 날 그의 일터에 지하조직의 사람들

총은 총을 부르고 꽃은 꽃을 부르고

이 찾아온다. 그들이 지하조직에 몸담게 된 배경은 저마다 다르겠지만, 예민한 기질을 가졌으며 대체로 평범하지 않다는 점은 공통적이다. 그들은 말한다. "우린 통제당하고 있어요. 당신은 예민해서 그걸 느끼고 있죠." 이들은 글로벌한 조직의 일원이다. 지하조직의 이름은 '왕따'. 영어로는 WANGTA. 'World Associate Network Greater Task Achievement'의 줄임말이다. 이들이 어떤 위대한 임무를 수행하는 조직인지는 모르겠지만, 적어도 동류의 사람들을 찾아내는 능력은 있어 보인다. 젊은 조직원들은 영어, 일어, 이탈리아어, 러시아어 등을 자유자재로 사용할 수 있어 중요한 이야기를 할 때면 외국어로 대화를 나눈다. 조직에 속한 남자의 말에 따르면, 젊은 왕따 멤버들은 '부모가 뼈 빠지게 일해 유학을 보낸' 결과 이처럼 외국어에 능통하게 되었다. 한편 이러한 젊은 세대는 "우민화 정책"이 통한 결과이기도 하다. "국가는 우민화 정책을 통해 이십 대와 삼십 대의 삶을 스펙과 계량화된 평가에 목메어 사는 바보로 만들어 놓은 거야." 남자의 말이 맞을지도 모른다. 지금의 청년 세대는 그 어느 세대와 비교해도 똑똑하다. 대학을 낭만의 캠퍼스로 기억하는 세대와는 달라도 너무 다르다. 대학에 다니는 지금의 청춘들에겐 고학점과 고스펙이 필수다. '북한에서 김수현이 더 인기가 많은지 이민호가 더 인기가 많은지'를 쓸데없이 진지하게 외국어로 핏대 올리며 대화하는 영화 속 젊은 왕따 조직원들의 모습이 풍자하는 것처럼, 그들은 똑똑한 바보가 되어 가고 있다.

신연식 감독은 젊은 세대가 점점 고유한 개성과 특질을 상실해가는 것 같다고 했다. 그렇지만 "세상에 분노하지 않고 SNS에만 빠져 있는" 세대에게 왜 세상의 불의에 분노하지 않느냐고 이야기하는 것이 사실은 조심스럽다고도 했다. "이 영화를 만들 땐 나도 젊었다. 한창 〈동주〉의 시나리오를 쓸 때였으니까, 일제

총은 총을 부르고 꽃은 꽃을 부르고

강점기 독립운동을 하던 젊은 윤동주와 송몽규의 삶을 나도 덩달아 느끼고 있었다. 그때는 젊은이들이 더 뜨거웠으면 하고 바랐던 것 같다. 봉건적 제도가 무너진 20세기는 어쩌면 인류 역사상 가장 혁명적인 시기였기 때문에 과거의 젊은 세대가 보여준 혁명과 저항과 분노를 왜 지금의 젊은 세대는 보여주지 않느냐고 비교하듯 말할 수는 없을 것 같다. 지금의 젊은 세대는 욕망 자체가 거세된 듯 보인다. 왜 그런 사회가 되었는지를 알아야 한다." 신연식 감독이 보기에 지금의 젊은 세대는 "불안한 시대를 살아가는 불안한 세대"다. 기후 위기와 같은, 개인의 힘으로는 손쓸 수 없는 거대한 위기를 미래로 맞이하며 살아가는 세대다. 개인의 선택이 세상의 큰 변화를 이끌어낼 수 없다고 느끼며 자란 세대는 무력함을 배우며 점점 정치와 사회에 무관심해졌다. 그러면서 안정적인 직업과 안정적인 생활을 찾게 되었다. 노력은 적게 하고 많은 것을 누렸던 이전 세대와 노력은 많이 하고 적은 것을 누려야 하는 세대. 영화는 여러 음모론을 제기하며 세대와 시대의 갈등을 거대한 농담의 그물 속에 던져 놓는다.

　　지금 우리는 어떤 시대를 살아가고 있나. 영화

속 왕따 조직이 자신들을 통제한다고 느끼는 대상은 누구인가. "Great Authority Project. GAP. 우린 '갑'이라고 불러." 왕따의 조직원은 그 대상을 '갑'이라고 말한다. 우민이 묻는다. "갑의 실체는 뭐예요?" 이건 좀 설명하기 어렵다. 영화도 명확히 설명하지 않는다. 그것은 형체가 없는, 국가를 초월한 시스템이기 때문이다. 할 말이 많은 〈과대망상자(들)〉은 보여주기보다 설명하기의 방법으로 많은 대사를 쏟아낸다. 쉴 새 없이 쏟아지는 세태 분석에 관한 대사들 중 이 대사는 특별히 기억할 만하다. "너의 모든 행동은 그들의 데이터로 남게 될 거야. 우리의 삶은 철저하게 그들의 기획안에 소비 단위로 디자인될 뿐이란 걸 모르면서 그들이 주는 작은 쾌락에 속아 살아가겠지. 그러다 우리의 욕망이 철저하게 거세돼 본래의 욕망이 뭔지도 모른 채 우리가 왜 기쁜지 슬픈지 고민도 하지 않고 살아가겠지." 무한 경쟁과 무한 소비의 시대, 빅데이터와 알고리즘의 지배를 받는 시대, 온라인 쇼핑몰의 장바구니 품목이 개인의 욕망과 취향과 정체성까지 설명해 주는 시대. 우리는 새로운 디지털 감시사회를 살아가고 있다.

내가 남긴 무수한 디지털 흔적이
나를 습격한다

　해외여행을 계획하며 인터넷으로 항공권을 알아본다. 잠시 뒤 SNS에 접속하면 '지금 파리를 최저가로 여행해보세요' '올겨울은 호주로 떠나보세요' '뉴욕 항공권 OO부터 파격 특가' 등 피드의 상단에 뜬 항공사 광고들이 웃으며 손짓한다. 어서, 우리 항공사 홈페이지에 접속해봐. 지금이 올해의 마지막 기회일지 몰라. 서둘러! 마음의 소리인지 자본의 소리인지 모를 소리를 따라 손쉽게 유혹에 넘어가 항공사 광고 페이지에 접속하고 나면 이제부터 며칠간은 긴급 모객 여행 상품부터 숙박 업체 광고, 면세점 광고 등이 줄줄이 SNS에 등장하기 시작한다. 어느 순간 내가 파리를 가려고 했는지 뉴욕을 가려고 했는지 기억나지 않는다. 소도시 투어를 하려고 했는지 박물관 투어를 하려고 했는지, 애초의 여행 계획과 목적은 금세 휘발된다. 이 여행은 과연 내가 진짜 가고 싶었던 그 여행이 맞는 걸까. 내가 남긴 무수한 디지털 흔적이 빅데이터가 되어 나를 습격한다. 맞춤형 광고의 모습을 한 그

습격은 무방비 상태의 소비자들을 결제창으로 안내한다. 확실한 줏대가 없이는 저항하기 힘든 공격이다. 결제의 순간에라도 정신을 차리면 다행이지만 대부분은 결제 후 스스로를 합리화한다. '그래, 싸게 득템했어. 잘 한 거야. 괜찮아.' 이런 상황이 너무도 익숙하지 않은가.

지금 우리는 나보다 나를 더 잘 아는 빅데이터에 의해 데이터화된 소비자가 되었다. 개인정보 제공 동의란에 체크하지 않고는 온라인에서 물건 하나 제대로 사기 힘든 사회를 살아가고 있다. 2014년 노벨 경제학상을 수상한 장 티롤은 양면 시장(Two Sided Market)의 개념을 이론화하면서 거대 플랫폼 기업의 속성과 새로운 규제의 필요성을 이야기했다. 양면 시장은 생산자와 소비자의 역할이 분명했던 단면 시장에 상대하는 개념으로, 서로 다른 두 이용자 집단이 플랫폼을 통해 상호작용하면서 가치 창출을 하는 시장을 말한다. 구글, 아마존, 메타 등 현대 경제를 움직이는 플랫폼 기업들을 생각하면 된다. 그런데 플랫폼 기업들이 생겨나면서 발생한 문제들이 있다. 장 티롤이 EBS 〈위대한 수업〉에 출연해 '플랫폼 기업'에 대해

총은 총을 부르고 꽃은 꽃을 부르고

강의한 것처럼, 정보가 권력인 시대 플랫폼 기업은 우리에 대해 너무 많은 것을 알고 있다. 새로운 형태의 디지털 감시사회가 도래한 것이다. 플랫폼은 정보를 제공하기 위해 정보를 수집한다. 이용자의 성향과 취향을 세심히 파악해 그들이 원하는 정보를 정확히 선별해 제공하는 게 플랫폼 기업의 경쟁력이 된다. 장 티롤은 플랫폼 기업이 정보를 수집하는 과정에서 발생하는 문제를 다음과 같이 정리했다. 첫 번째, 우리가 우리의 정보를 통제하지 못한다. 두 번째, 플랫폼 보안에 투자가 불충분하다. 세 번째, 당신이 인터넷을 사용하지 않더라도 플랫폼 기업은 소셜 그래프 등을 통해 당신에 대해 많은 것을 수집한다. 네 번째, 정확히 어떤 내용인지도 모르고 우리는 쉽게 개인정보 제공에 동의한다. 우리에겐 개인정보 제공에 동의하지 않는 것을 선택할 자유가 주어지지 않는다. 그 결과 플랫폼 기업이 우리의 거의 모든 것을 아는 시대가 되었다. 감시와 처벌이 아닌 효율과 자율이 디지털 감시사회를 만들었다.

우리는 주류에 대항하는
이단아가 될 수 있을까?

경제학자뿐 아니라 철학자들 또한 디지털 감시
사회의 위험성에 대해 일찌감치 경고했다. 지그문트
바우만은 〈친애하는 빅브라더〉에서 현대인들은 '자발
적 복종'에 의해 디지털 감시사회에 동참하고 있다고
말한다. "주목받는다는 사실에서 오는 즐거움이 폭로
의 두려움을 억제"하는 시대, 감시자 없는 감시의 시
대가 도래했다. 철학자 한병철 또한 자신의 저서 《투
명사회》《심리정치》《정보의 지배》 등에서 신자유주
의와 일상의 디지털화가 새로운 통제사회를 가속화
하고 있다고 말한다. 《투명사회》에서 그는 지금처럼
모든 영역에서 투명성을 강조하는 투명사회가 오히
려 새로운 통제사회라고 말한다. 투명사회에서 우리
는 만인의 만인에 대한 감시 상태에 놓인다. "사람들
은 자기를 노출하고 전시함으로써 열렬히 디지털 파
놉티콘 건설에 동참한다." 사람들은 SNS를 통해서 자
발적으로 자신을 노출한다. 누가 시킨 것도 아닌데,
언제 어디서 누구와 무엇을 했는지 행복한(혹은 행복해

보이는) 일상을 전시한다. 실시간으로, 투명하게. '좋아요'와 '댓글'은 또 다른 중독을 낳는다. 너도 나도 경쟁적으로 자신의 일상을 전시하고 사람들의 관심을 확인한다. "디지털 파놉티콘의 독특한 점은 빅브라더와 수감자 사이의 구별이 점점 더 불분명해진다는 데 있다. 여기서는 모두가 모두를 관찰하고 감시한다. 국가의 첩보 기관만 우리를 엿보는 것이 아니다. 페이스북이나 구글 같은 기업도 마치 첩보 기관처럼 작동한다."(《투명사회》) "디지털 파놉티콘에서 사람들은 고문받는 것이 아니라 트윗하고 포스팅한다. 투명성과 정보가 진리를 대체한다. 심리정치적 조종이 권력의 새로운 콘셉트다."(《심리정치》) "우리는 소통과 정보에 도취하여 혼미한 상태다."(《정보의 지배》) 우리는 자발적으로 투명해진 나머지 '유리 인간'이 되고 있다.

"우리는 저항하기 위해 태어난 존재입니다." 〈과대망상자(들)〉에서 왕따의 조직원은 갑의 감시에서 벗어나기 위해 "저항해야 한다"고 말한다. 그러면서 이 세상에는 그 어떤 시스템에도 구속받지 않고 자유롭게 살아가는 "광야의 선지자들"이 있다고 얘기한다. 그 선지자들은 "내 코에 도청장치가 들어 있어요"라며 생방송 뉴스에 난입한 사람과, 노동하지 않고 경쟁하지 않고 소비하지 않고 디지털적인 삶과도 거리가 먼 거리의 부랑자들을 포함한다. 물론 웃자고 하는 농담일 것이다. 그런데 묘하게 이 대목은 한병철이 《심리정치》에서 제시하는 저항의 대안과 연결된다. "바보는 현대의 이단아다. 이단은 본래 선택을 의미한다. 즉 이단아는 자유로운 선택권을 쥐고 있는 자다. 그는 정통에서 이탈할 용기가 있다. 그는 순응의 압박을 용감하게 떨쳐버린다. 이단아로서의 바보는 합의의 폭력에 맞서는 저항의 형상이다. 그는 아웃사이더의 마력을 보존한다. 순응의 압박이 점점 더 강화되어가는 오늘날, 이단적 의식의 날을 벼려야 할 필요성은 그 어느 때보다도 더 절실하다." 주류에 대항하는 바보, 이단아가 되라는 말이 쉬운 실천은 아니다. 우

총은 총을 부르고 꽃은 꽃을 부르고

리 사회는 시스템을 벗어난 이들을 쉽게 부정적으로 낙인찍고 배제한다. 대부분의 사람들은 배제의 불이익을 감당하느니 시스템에 순응한다. 그럼에도 중요한 건 꺾이지 않는 마음이라고 했던가. 포기하지 않으면 변화의 불씨가 타오를 것이라는 희망을 우리는 포기할 수 없다. 〈과대망상자(들)〉에서 신연식 감독은 볼테르의 말을 인용하며 영화를 끝맺는다. "나는 당신의 사상에 반대한다. 그러나 당신이 사상과 신념으로 인해 탄압받는다면 나는 당신을 위해 싸울 것이다." 시대에 저항하는 사람들을 괴짜 취급하지 않고 배제하지 않겠다는 뜻일 것이다. 디지털 파놉티콘으로부터 진정 자유로운 삶이 가능할까? 잘 모르겠다. 그럼에도 희망을 희망해본다.

이주현

인권영화 프로젝트
20년의 기록

그녀의 무게 · 임순례

#외모#몸무게#취업#면접 차별

그 남자의 事情 · 정재은

#성폭력#성범죄#실험영화

대륙횡단 · 여균동

#장애#이동권#리프트

신비한 영어나라 · 박진표

#아동#영어#교육열#아동학대

믿거나 말거나, 찬드라의 경우 · 박찬욱

#이주노동자#찬드라#6년 4개월#무관심#네
팔

얼굴값 · 박광수

#외모#겉모습#직업

사람이 되어라 · 박재동

#입시 위주 교육#곤충#언어폭력#입시

자전거 여행 · 이성강

#이주노동자#자전거#네팔 하늘#고향#피부
색

육다골대녀(肉多骨大女) · 이애림

#외모#횟병#미모#울화통

**그 여자네 집 · 김준, 박윤경, 이진석, 장형윤,
정연주**

#성역할#맞벌이#육아, 가정, 사회

동물농장 · 권오성

#소수자#염소#양#동물의 왕국#무리

낮잠 · 유진희

#장애#입학 거부#계단#아빠와 딸

고마운 사람 · 장진
#비정규직#고문#야근

언니가 이해하셔야 돼요 · 박경희
#장애#그림#이해#소통

남자니까 아시잖아요? · 류승완
#남자#술#반말#가해자

배낭을 맨 소년 · 정지우
#탈북청소년#외로움#그리움#오토바이

종로, 겨울 · 김동원
#중국동포#종로#겨울

나 어떡해 · 홍기선
#비정규직#노조원#조합#하청

BomBomBomb · 김곡·김선
#성소수자#동물원#커밍아웃#드럼#합주

당신과 나 사이 · 이미연
#성역할#결혼#직장#육아#가사

험난한 인생 · 노동석
#피부색#색깔#인종차별

소녀가 사라졌다 · 김현필
#가족 형태#소년소녀가장#알바

잠수왕 무하마드 · 정윤철
#이주노동자#미등록#잠수

총은 총을 부르고 꽃은 꽃을 부르고

세 번째 소원·안동희, 류정우
#시각장애#소원#지팡이

아주까리·홍덕표
#성교육#포경수술#통념

아기가 생겼어요·이홍수
#임신#출산#사직 강요

샤방샤방 샤랄라·권미정
#이주민 자녀#학부모#곱슬머리

메리 골라스마스·정민영
#취업 차별#산타#피부색

거짓말·박용제
#성정체성#커플#결혼

진주는 공부 중·방은진
#청소년#입시#스트레스

유 앤 미·전계수
#청소년 장래#역도#꿈

릴레이·이현승
#청소년 비혼모#학교#우정

청소년 드라마의 이해와 실제·윤성호
#청소년#꿈#선거#비트박스

달리는 차은·김태용
#이주노동자 자녀#달리기#막막함

#아동인권

#직장 내 차별

#기러기 가족

#노인 인권

이빨 두 개·강이관
#탈북 청소년#야구

니마·부지영
#이주민#여성#연대

바나나 쉐이크·윤성현
#이주민#오해#이해

백문백답·김대승
#개인정보인권#성차별#2차 가해

진실을 위하여·신동일
#개인정보#CCTV#의심

총은 총을 부르고 꽃은 꽃을 부르고

#전과 차별

#촉법소년

#범죄소년

두한에게 · 박정범
#장애#우정#빈곤

봉구는 배달 중 · 신아가 / 이상철
#노인 차별#아동#가족

얼음강 · 민용근
#양심에 따른 병역거부#종교#편지

#노인

#존엄사

#치매, 질병

#음악영화

#스포츠 인권

#폭력, 대물림

#사교육

#빛, 소년

총은 총을 부르고 꽃은 꽃을 부르고

우리에겐 떡볶이를 먹을 권리가 있다 · 최익환
#청소년 인권#떡볶이#시험

과대망상자(들) · 신연식
#정신장애인#파놉티콘

소주와 아이스크림 · 이광국
#비정규직 #고독사

#청년

#데이트폭력

#의심

#구멍

힘을 낼 시간

#청(소)년 인권

#아이돌

#힘

총은 총을 부르고 꽃은 꽃을 부르고